準時下班祕笈

超實用

公務員
EXCEL

U0086814

省時祕技 **108** 招
輕鬆提高自動化執行力

Office 365 版

- ◈ 掌握「省時實用、圖例操作」原則導入 Excel 365 實務技巧
- ◈ 蒐羅 108 個 Excel 必備祕技，即學即用展現高超效率
- ◈ 充分了解儲存格、工作表的基礎原理，抓住試算訣竅
- ◈ 一次學會 Excel 的各式快速鍵，準確編輯完成批次作業
- ◈ 教導排序和篩選提供函數參照、樞紐分析，將 Excel 變身資料庫

張雯燕 著、ZCT 策劃

作　　者：張雯燕 著 ・ZCT 策劃
責任編輯：Cathy

董 事 長：陳來勝
總 編 輯：陳錦輝

出　　版：博碩文化股份有限公司
地　　址：221 新北市汐止區新台五路一段 112 號 10 樓 A 棟
　　　　　電話 (02) 2696-2869　傳真 (02) 2696-2867

發　　行：博碩文化股份有限公司
郵撥帳號：17484299　戶名：博碩文化股份有限公司
博碩網站：http://www.drmaster.com.tw
讀者服務信箱：dr26962869@gmail.com
訂購服務專線：(02) 2696-2869 分機 238、519
（週一至週五 09:30 ～ 12:00；13:30 ～ 17:00）

版　　次：2021 年 11 月初版

建議零售價：新台幣 320 元
I S B N：978-986-434-954-8
律師顧問：鳴權法律事務所 陳曉鳴律師

本書如有破損或裝訂錯誤，請寄回本公司更換

國家圖書館出版品預行編目資料

(準時下班祕笈) 超實用!公務員 EXCEL 省時
必備祕技 108 招:輕鬆提高自動化執行力
(Office 365 版本) / 張雯燕著 . -- 初版 . --
新北市:博碩文化股份有限公司 , 2021.11
　　面;　公分 .

ISBN 978-986-434-954-8(平裝)

1.EXCEL(電腦程式)

312.49E9　　　　　　　　　　110018312

Printed in Taiwan

歡迎團體訂購，另有優惠，請洽服務專線
博 碩 粉 絲 團　(02) 2696-2869 分機 238、519

序

筆者向來在私人企業工作，主要的著作都是以一般商業範例為主，直到出版社建議是否可以將主角設定從 OL 改為公務人員？這可引起我的興趣，於是找來一位從 20 歲高考及格後，就當起公務員迄今，並曾榮獲象徵公務人員最佳榮譽「金質獎」的家姊，如此經歷完整的人擔任顧問，相信一定有許多可以參考的範例資料。但是結果卻讓我有些失望，並不是因為範例不夠多，而是不同的單位，有不同的需求，更重要的重點是，絕大多數的檔案都是延續「千年」的制式規格，加上日後職務輪調還要移交給其他人，不宜使用過多複雜的功能，以免增加同事的負擔。經過百般思考和討論，於是決定以「功能」為主的工具書，作為切入的主軸。

有一則廣告是這樣描述，喝下飲料後，無助於減少工作量，但有助於減少體脂肪。但是學會這本書後，既可以減少工作量，又可以降低體脂肪。此話怎講？因為書中的內容是教你如何節省工作的時間，工作時間減少後，自然有時間可以多作運動，是不是既可減少工作量，又可降低體脂肪啊？不過還是奉勸各位，凡是要低調些，千萬不要讓主管發現你買了這本書，也不要到處宣揚是因為這本書讓你節省工作時間，否則隔壁同事的工作都降臨到你身上的時候，不要怪我沒提醒你喔！

祝大家
工作順利！ 身體健康！

張雯燕

目錄

Section_1　不可或缺的螺絲釘

目錄

Section_2　準時下班的工具箱

目錄

Section_3　分析整理的資料櫃

Section_1

不可或缺的螺絲釘

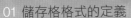

儲存格格式的定義

「儲存格」是 Excel 工作表中最基本的工作單位，當輸入資料或進行運算時，都是個別獨立的單位，根據欄、列的交叉位置給予不同的名稱，如 A1、B4…等。

什麼是「儲存格格式」？

簡單來說，就是裝扮儲存格的各種行頭，包括儲存格的數值格式、對齊方式、文字、外框、填滿色彩…等，不同的搭配組合，可以讓儲存格有不同的風貌，藉以表達或凸顯使用者輸入的內容特性。

可以將不同格式的搭配組合設定成儲存格「樣式」，以便日後編輯時可以使用。
當然 Excel 也提供一些設定好儲存格格式的預設樣式，讓使用者快速套用。

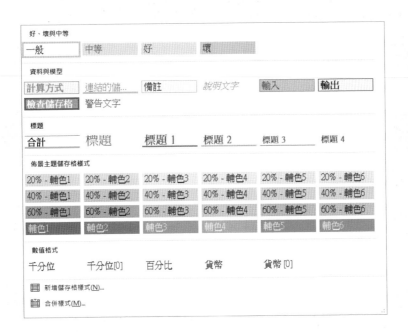

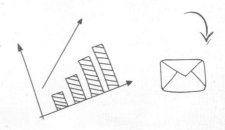

數值格式的種類

「數值格式」是依照儲存格輸入的內容種類而設定的格式,基本上可以分成兩大類,一類是文字格式;另一類則是非文字格式。

數值格式的設定都可以在【常用】功能索引標籤中的「數值」功能區,或是按滑鼠右鍵開啟快顯功能表,執行「儲存格格式」指令,開啟「設定儲存格格式」對話方塊進行設定。

祕技 03.

不需要設定的通用格式

通用格式是在沒有設定任何數值格式情況下，Excel 根據使用者輸入的內容自動判斷適合的格式，一般來說，判斷為文字格式的內容會自動靠「左」對齊，而非文字格式則會自動靠「右」對齊。

當數字內含有符號時，都會視為文字格式而非數字。

既然 Excel 會自動判斷數值格式，為什麼我們還要另外設定呢？

舉例來說，當我們輸入數字「12345」，在不同的數值格式下，所展現的出來的意義並不相同。因為即使是時間和日期，在 Excel 中為了方便計算，也都只是一連串的數字，透過數值格式轉換成我們看得懂的時間或日期。

因此，為了美觀、讓人容易了解…等種種理由，建議使用者還是要另外設定儲存格的數值格式。

	A	B	C	D
1	通用格式	數值	貨幣格式	會計專用
2	12345	12345.00	$12,345.00	$ 12,345.00
3	日期格式	時間	百分比	科學符號
4	1933/10/18	上午 12:00:00	12345.00%	1.23E+04

工作表1 ⊕

祕技 04.

設定文字格式

在儲存格中輸入文字時，Excel 當然自動判定是文字格式，但是有一些類似數字的文字，這可就為難了 Excel，最常看到的就是銀行帳號、手機號碼這類的文字。當我們輸入台灣銀行的銀行代碼「004」，Excel 就只會顯示「4」，這該怎麼辦？？

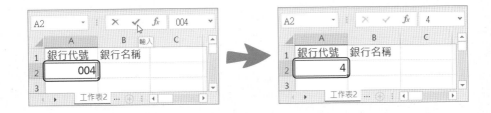

✔ 方法一：加上單引號

在數字前面加上單引號「'」，就是輸入「'004」。注意到了沒？當數字是以文字型態出現時，在尚未變更對齊方式前，儲存格內容會自動「靠左對齊」，並在左上方出現綠色三角形標記。

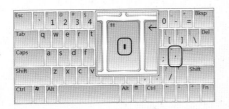 

✅ 方法二：變更成文字格式

選取作用儲存格後，按下滑鼠右鍵，開啟快顯功能表，選擇執行「儲存格格式」指令。將另外開啟「設定儲存格格式」對話方塊，在「數值」索引標籤中，選擇「文字」格式。儲存格格式設定完成後，再輸入「004」即可。

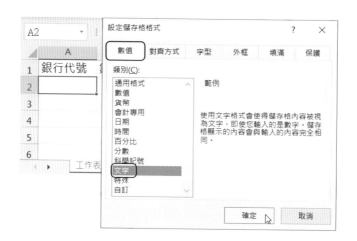

不管是使用哪種方法，儲存格左上方都會出現綠色三角形標記，這個「錯誤檢查選項」是來提醒我們，這些儲存格都是文字格式而非數字格式，因為文字格式是「無法計算」的。

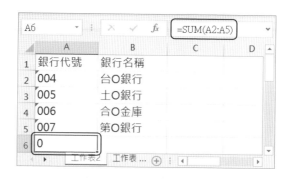

如果這些儲存格內容確定是數字的話，只要按下「錯誤檢查選項」鈕，選擇「轉換成數字」選項即可。

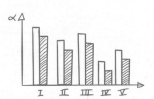

祕技 05.

常見的數字格式

常用的數字格式可以分成「數值」、「貨幣」和「會計專用」三種,看起來這三種格式就像是孿生兄弟,其實還是有一些不同的差異性。

從設定的對話方塊就可以窺知一二,但是還有像貨幣符號的位置、負數的呈現方式…等其他格式上的差異,就要看報表希望呈現的效果而做選擇。

✅ **數值(無法選擇貨幣符號)**   ✅ **貨幣**

✅ **會計專用(無法選擇負數表現方式)**

祕技 06.

輸入日期的方式

日期看起來是年 + 月 + 日的組合,每 30 天為一個月,每 12 個月為一年,這樣的觀念在我們看來是再平常不過了,但是計算起來卻是十分複雜(小學生的夢魘)。

所以在 Excel 的世界裡,把這個問題簡化,將 1900 年 1 月 1 日制定為「1」,之後每過一天就加「1」。因此通用格式中的「42736」,若以日期格式來看就是 2017 年 1 月 1 日。當然我們輸入時不需要輸入數值後再設定日期格式,而是直接輸入日期即可。

輸入日期的方式有下面幾種:

西元年 4 碼 / 月 / 日

如:2021 年 5 月 1 日要輸入「2021/5/1」。

西元年後 2 碼 / 月 / 日

如:2021 年 5 月 1 日要輸入「21/5/1」;
1999 年 5 月 1 日要輸入「99/5/1」。

✅ 月/日（當年度）

如：今年（2021）的 5 月 1 日要輸入「5/1」

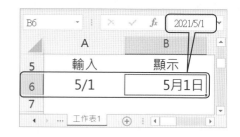

✅ R+ 民國年/月/日（大小寫皆可）

如：民國 110 年 5 月 1 日要輸入「R110/5/1」

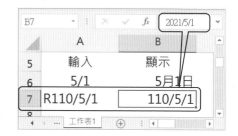

✅【Ctrl】鍵 +【;】（當天系統日期）

❶ 先按住【Ctrl】鍵不放，❷ 再按【;】分號，就會出現當天日期，但必須在英數模式下使用鍵盤才可以喔！

設定日期格式

想要設定日期格式，當然就是透過「設定儲存格格式」對話方塊，來進行 " 顯示 " 民國日期的設定，為什麼説是 " 顯示 " 呢？

因為不管看到的是民國年或是日本年，背後都還是要回歸西元年，才能被 Excel 認同，進而進行計算等後續工作，否則就是一般文字而已。

✅ 設定民國年

除了使用快速輸入法「R+ 民國年 / 月 / 日」可以輸入民國年的日期外，可以在作用儲存格中，按滑鼠右鍵開啟快顯功能表，開啟「設定儲存格格式」對話方塊，❶ 切換到「數值 \ 日期」索引標籤，❷ 按下「行事曆類型」清單鈕，就可以在 ❸「類型」中選擇想要的日期格式。

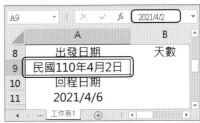

◎ 設定其他國家日期格式

世界上還有其他國家存在專屬自己國家的紀年，就像鄰近的日本。如果要設定其他國家紀年的格式，只要在 ❶「地區設定（位置）」中選擇國家，就會出現 ❷ 該國的「行事曆類型」，進而可以 ❸ 選擇想要的日期格式。

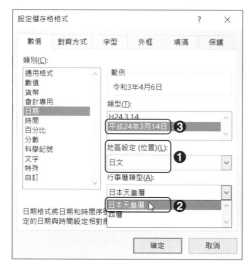

輸入時間的方式

既然知道在 Excel 的世界裡，一天就是表示「1」，那麼早上 10 點所代表的數值又是多少？答案是「0.416667」。

這也就表示一小時是「0.0416667」（1 天 /24 小時），那一分鐘就是「0.00069944」（1 小時 /60 分鐘）。

輸入時間的方式有幾種：

✅ 小時：分鐘

如：上午 10 點 30 分要輸入「10:30」；下午 6 點 30 分則要輸入「18:30」。

G3	× ✓ fx	06:30:00 PM
	F	**G**
1	輸入	顯示
2	10:30	10:30
3	18:30	18:30
工作表1

✅ 小時：分鐘：秒

如：上午 10 點 30 分 45 秒要輸入「10:30:45」；下午 6 點 30 分 45 秒則要輸入「18:30:45」。

G3	× ✓ fx	06:30:45 PM
	F	**G**
1	輸入	顯示
2	10:30:45	10:30:45
3	18:30:45	18:30:45
工作表1

✅【Ctrl】鍵 +【Shift】+【;】(當時系統時間)

❶ 先按住【Ctrl】鍵不放，❷ 再按住【Shift】鍵，接著 ❸ 按下【;】分號，就會出現當下電腦系統的時間，但必須在英數模式下使用鍵盤才可以喔！

當然在預設的通用格式下，時間的格式就由 Excel 幫忙決定，但是使用者對時間格式想要有其他的表現方式，還是必須透過儲存格格式來協助設定。

設定百分比格式

百分比數值的輸入方式有三種，第一種可以直接從鍵盤上輸入「8.53%」；第二種是先輸入數字「0.0853」，再利用儲存格格式，修改成「百分比」數值格式。

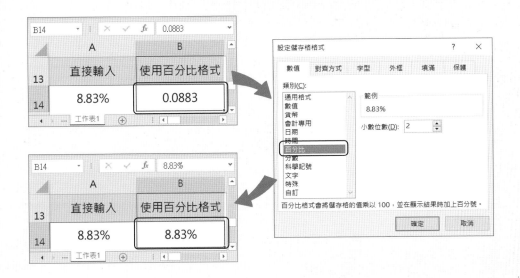

第三種則是先輸入數字「0.0853」，再按下「常用 \ 數值」功能區中的 % 百分比圖示鈕。

如果不想浪費時間輸入「%」符號，或換算百分比前的數值，就一定要在輸入數字前，先將儲存格設定好百分比格式。至於要變更小數點位數，可再次進入「設定儲存格格式」對話方塊中重新設定；或在「常用 \ 數值」功能區中，按下 增減小數點位數的圖示鈕。

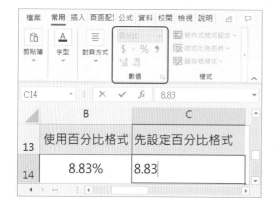

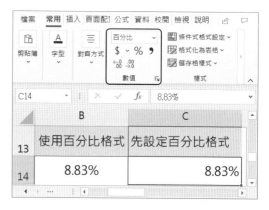

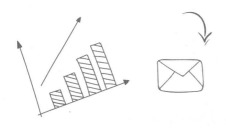

設定分數格式

分數這個格式在正式報表中比較不常出現，通常都會以小數型態或百分比型態呈現，但還是要稍微介紹一下。

當我們在通用格式中輸入「1/8」時，Excel 會自動以日期型態顯示；若要輸入分數的話，則要先將儲存格格式設定為「分數」，再輸入「1/8」時，儲存格就會顯示分數，而資料編輯列上則會顯示「0.125」這個數值。

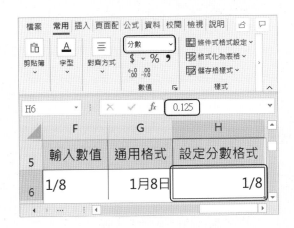

當輸入的數值是假分數時，Excel 還會自動約分。如：輸入「36/96」，則儲存格會顯示分數「3/8」，而資料編輯列上則會顯示「0.375」這個數值。

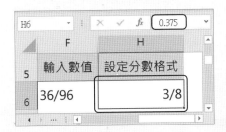

取消科學記號格式

當我們在通用格式，輸入超過 12 位數的數值時，Excel 就會自動將格式變更為「科學記號」格式，儲存格會顯示「E+」的記號。

但是我們只是一般人，不是科學家，既不懂也不需要使用到科學記號，這時候只要將儲存格格式設為「數值」、「會計專用」或「貨幣」格式就可以解決！

數值計算的有效位數

但是使用會計格式，當數值超過 15 位數後，其他數字都顯示「0」，又該如何處理？？答案是「不能處理」！

Excel 的運算極限就是 15 位數，當超過時，就是以「0」值處理，不予計算。（貨幣及數值格式亦然）。即使強迫使用文字格式將數字完整顯示，但是進行計算時，照樣只能計算 15 位數，多餘的還是以「0」值認定。

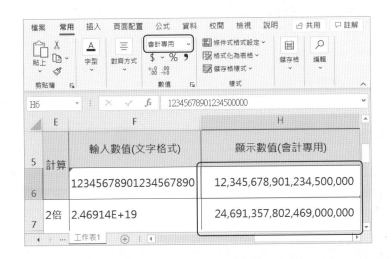

特殊格式的設定

Excel 會根據不同地區常用的數字格式進行特殊格式的制定，例如郵遞區號、行動電話或者大寫金額…等，方便使用者快速套用，不用自己自訂格式，也算是一種統一規格的概念吧！

尤其是大寫金額，看起來是文字，背後卻是數字，所以可以自由的運算，真的是非常方便呢！

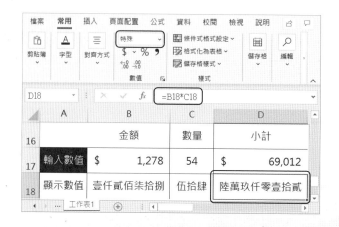

自訂單位格式

Excel 雖然預設了很多類型的數值格式，就像女人的衣櫃中，永遠少了一件適合的衣服。

最常見的莫過於想在數值後面加上單位，如：元、公斤、公分…等，雖然可以另外使用一個儲存格，輸入單位名稱，再可以利用框線的變化，讓數值和單位好像在同一個儲存格，但是這樣會增加表單設計困難度。

最好的辦法就是自訂單位格式，只要輸入數字，自動就會顯示單位。

	A	B	C	D	E
1			6年4班健康檢查表		
2	姓名	身高		體重	
3	王O名	165	公分	58	公斤
4	張O華	170	公分	65	公斤

以「通用格式」作為入門範例，可以直接在儲存格中加入數值單位。

開啟「設定儲存格格式」對話方塊，❶ 先選擇「自訂」類別中的 ❷「G/ 通用格式」，將 ❸ 游標移到「G/ 通用格式」後面，按一下滑鼠左鍵，插入編輯點。接著 ❹ 輸入「" 公分 "」，也就是自訂格式類型裡設定「G/ 通用格式 " 公分 "」，❺ 按下「確定」鈕即可。

設定完成之後，只要在儲存格輸入數字，就會自動加上單位「公分」喔！

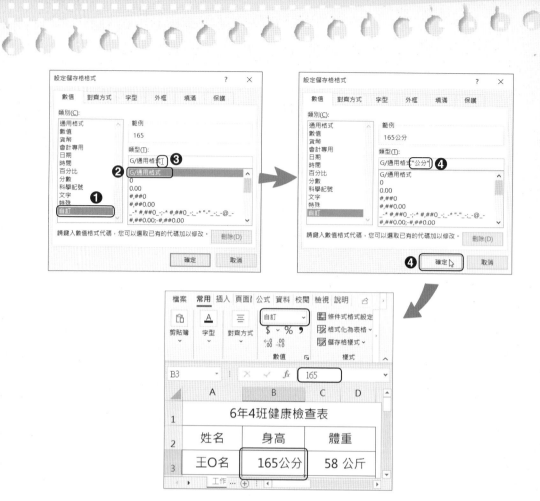

「"」雙引號符號在單引號的上方,鍵盤【Enter】旁邊,先 ❶ 按住【Shift】鍵,再 ❷ 按下「"」雙引號即可。

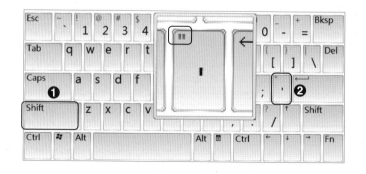

不只通用格式可以設定單位，像常見的特殊格式中的大寫金額也可以在前面加上「新台幣 $」字樣，並在後方加上「元」字樣，讓整個大寫金額格式更完整。

首先 ❶ 設定儲存格為「特殊」類別中的 ❷「大寫金額」類型；❸ 再切換到「自訂」類別中，在預設類型「[DBNum2][$-zh-TW]G/ 通用格式」前方，❹ 輸入文字「" 新台幣 $"」，接著在後方再 ❺ 輸入文字「" 元 "」，使完整的自訂格式類型為「" 新台幣 $"[DBNum2][$-zh-TW]G/ 通用格式 " 元 "」，❻ 按下「確定」鈕則設定完成。

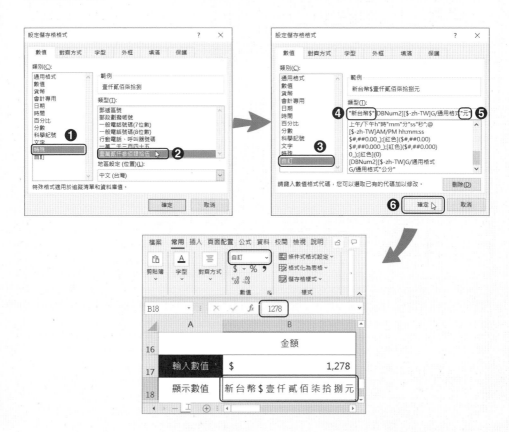

自訂補零數字格式

原來自訂格式這麼好用，可以先選擇接近的數值格式，再加以改造變化成自己適合的格式，但有一些常見的格式符號必須了解，才能恣意的自訂想要的格式。

✔ # 數字

代表可輸入任意數字，但 0 值則不顯示。

✔ 0 數字

代表可輸入任意數字，會顯示 0 值，且依設定位數在數值前方補 0 值。

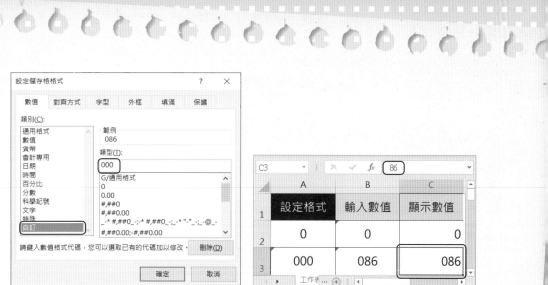

知道 0 和 # 之間的差異，這樣就可以輕易設定有關銀行帳號的數值格式。

銀行帳號很多都是以 0 開頭，我們以 13 位數的銀行帳號為例，最後 1 位數為檢查碼，只需要在自訂格式中輸入 12 個「0」，加上「-0」，就完成銀行帳號格式。

當輸入銀行帳號時，只要輸入數字的部份就好。

自訂簡化數字格式

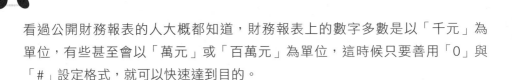

看過公開財務報表的人大概都知道,財務報表上的數字多數是以「千元」為單位,有些甚至會以「萬元」或「百萬元」為單位,這時候只要善用「0」與「#」設定格式,就可以快速達到目的。

以「千元」為範例,只要設定格式為「0,#,」,即可將數值簡化到千元。

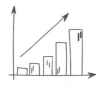

自訂日期格式

如同數字一樣，日期也有專屬的格式代號，如 y、m、e…等，這些代號不只可以用在儲存格的自訂日期格式，也可以在使用日期函數時派上用場，趕快學起來吧！

以 2021 年 4 月 7 日為例：

代表日期	代碼	顯示數值
西元年	yyyy	2021
西元年	yy	21
民國年	e	110
月	m	4
月	mm	04
日	d	7
日	dd	07
星期	ddd	Wed
星期	dddd	Wednesday
星期	aaa	週三
星期	aaaa	星期三

自訂數值顏色格式

當數字設定成貨幣格式或數值格式時，數字的負數可以選擇變成紅色顯示，如果想讓負數變成其他顏色，自訂格式也可以辦到。

首先我們要知道 Excel 自訂格式支援顯示哪些顏色？有黑色、紅色、黃色、綠色、藍色、青色、洋紅色和白色共 8 種可以使用。該如何設定呢？

先偷看一下數值格式「2 位小數負數使用紅色」的格式代碼為「0.00_;[紅色]-0.00」，「;」分號前面的是 2 位小數的正數，「;」分號後面則是代表負數的格式。

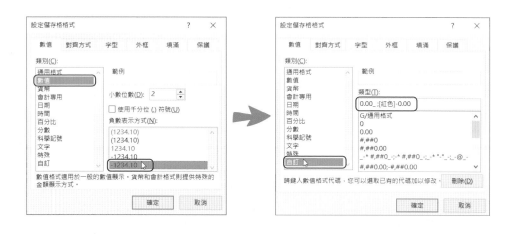

就利用這個格式變化一下，將前面正數的部分增加「[紅色]」，而「;」分號後面則由「[紅色]」改成「[綠色]」，完整的自訂格式為「[紅色]0.00_;[綠色]-0.00」，看看有什麼變化？

當數字是正數時，以紅色顯示；而當數字是負數時，則以綠色顯示。

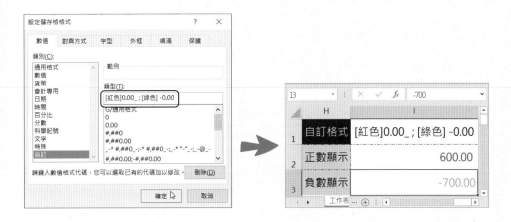

如果想像股票市場那樣，加上上漲或下跌的三角形符號也可以嗎？那沒有漲跌的平盤也可以設定格式嗎？哈哈～當然沒問題！

再將上面的格式搬下來修改一下，上漲正數增加▲符號，修改成「[紅色] ▲ 0.00_」；下跌負數增加▼符號，修改成「[綠色] ▼ 0.00」，原本的「–」負數符號記得刪除；最後就是 0 值的平盤，只要在最後方加上「[黃色] –」格式，三個條件中間「;」分號相隔即可。

也就是照「正數格式 ; 負數格式 ; 零值格式」這樣設定就好，完整的格式修改成「[紅色] ▲ 0.00_;[綠色] ▼ 0.00;[黃色] –」。

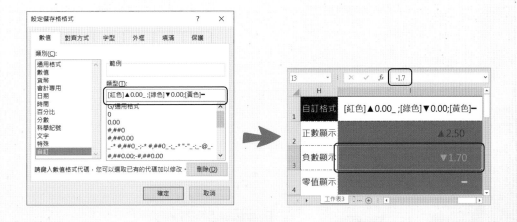

至於自訂格式的輸入技巧，可以先在儲存格中使用「插入 \ 符號」指令，插入
▲、▼、－符號於完整的格式中，再使用剪貼的方式處理即可。

不顯示零值

雖然我們可以透過儲存格格式自訂零值的顯示方式,但有一個更簡便的方式,讓零值在不需要設定特別格式下,就自動消失。

我們先 ❶ 按下「檔案」功能索引標籤,❷ 選擇「選項」子功能索引標籤,進入「Excel 選項」對話方塊,❸ 在「進階」索引中的「此工作表的顯示選項」區段中,❹ 取消勾選「在具有零值的儲存格顯示零」選項,❺ 按下「確定」鈕即可。

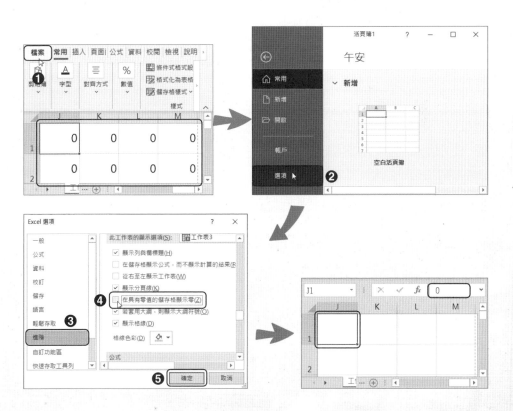

祕技 20.

選取儲存格的技巧

儲存格是 Excel 最基本的單位，選取單一儲存格時，只要將游標移到要選取的儲存格上方，按一下滑鼠左鍵，即完成選取。資料編輯列上會顯示已選取儲存格的名稱。

例如：選取 B3 儲存格（開啟新檔時預設選取儲存格為 A1）。

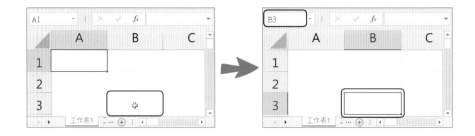

✅ 使用滑鼠選取連續儲存格

要選取連續範圍的儲存格，直覺的方法就是按住滑鼠左鍵不放，使用拖曳的方法選取連續範圍的儲存格，再放開滑鼠則完成。

例如：選取 B2:D5 儲存格。先選取 B2 儲存格，拖曳選取範圍到 D5 儲存格。

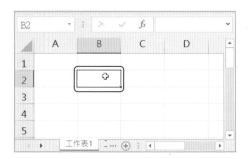
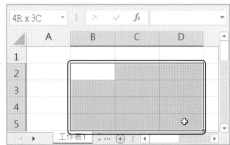

✅ 使用【Shift】鍵選取連續儲存格

選取連續範圍的儲存格還有另一個方法，就是先選取範圍開始的儲存格，然後按住鍵盤上的【Shift】鍵，再選取範圍結束範圍的儲存格即可。

例如：選取 B2:D5 儲存格。❶ 先選取 B2 儲存格，❷ 按住【Shift】鍵，再 ❸ 選取 D5 儲存格，放開【Shift】鍵即可。

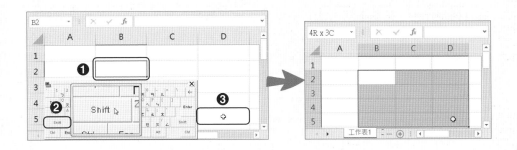

✅ 使用【Ctrl】鍵選取不連續範圍的儲存格

想要選取不連續範圍的儲存格，先選取其中一個儲存格，然後按住鍵盤上的【Ctrl】鍵，再選取範圍結束範圍的儲存格即可。

例如：選取 A1、D1:D3 及 C4 等 5 個儲存格。❶ 先選取 A1 儲存格，❷ 按住【Ctrl】鍵，❸ 使用拖曳的方式 ❹ 選取連續範圍 D1:D3 儲存格，最後再 ❺ 點選 C4 儲存格，放開【Ctrl】鍵即可。

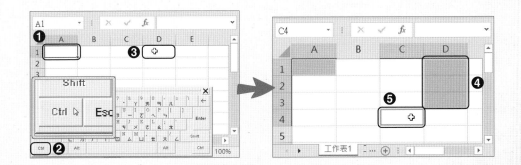

批次輸入文字

知道基本的儲存格選取方式，接下來介紹一個和選取方式有關的輸入小技巧。
當我們要輸入好幾個相同的資料在不同的儲存格時，要如何快速的完成輸入？
使用剪貼簿是一個不錯的選擇！但是有一個更有效率的小技巧要偷偷告訴你！
首先 ❶ 選擇要輸入資料的儲存格（搭配使用【Ctrl】鍵），再來 ❷ 輸入資料內
容，最後 ❸ 按下鍵盤上的【Ctrl】+【Enter】鍵，OK~~ 完成了！

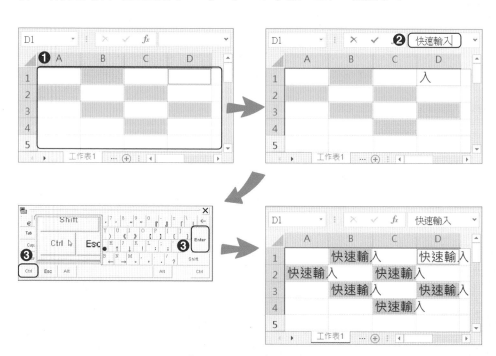

調整儲存格欄寬

在儲存格中輸入文字，會因為寬度不夠而跨到右邊的儲存格，最常見的處理方式，就是調整儲存格的欄寬。調整欄寬的方式有以下幾種：

✅ 自動調整欄寬

最簡便的方法就是將游標移到欄與欄的邊界，當游標符號變成 ✛ 時，快按滑鼠左鍵兩下，Excel 就會自動幫你調整欄寬到適當的大小。

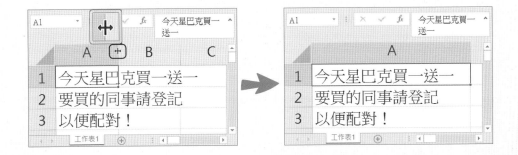

✅ 拖曳調整欄寬

第二種方法就是將游標移到欄與欄的邊界，當游標符號變成 ✛ 時，按住滑鼠左鍵不放，此時會出現參考的寬度，使用拖曳的方式到適當的欄寬位置，再放開滑鼠左鍵。

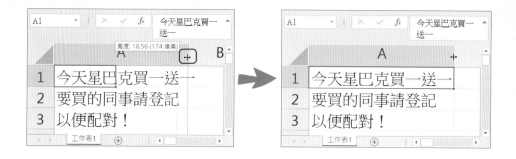

設定欄寬

第三種方法就是直接設定欄的寬度。在「常用 \ 儲存格」功能區中，❶ 執行「格式 \ 欄寬」指令，在新開啟的「欄寬」對話方塊中，❷ 輸入欄寬值，按下「確定」鈕即可。

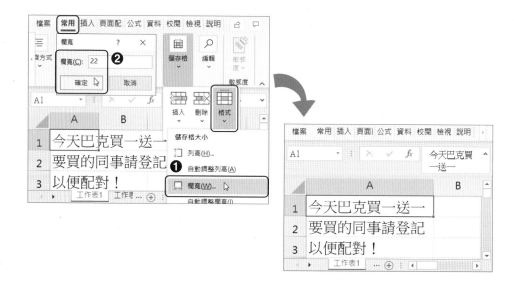

祕技 23.

調整輸入文字寬度

當在儲存格輸入內容後,如果超過儲存格寬度,除了調整儲存格寬度外,還可以怎麼處理呢?

✅ 使用自動換行

開啟「設定儲存格格式」對話方塊,在「對齊方式」索引標籤中,勾選「自動換行」選項。或是在「常用\對齊方式」功能區中,按下 自動換行「自動換行」圖示鈕。

✅ 文字強迫換行

在 Excel 輸入文字後，按下鍵盤【Enter】鍵，並不是將編輯插入點往下一行移動，而是跳到下一個儲存格。當遇到自動換行無法滿足使用者需求時，不妨可以試試「強迫換行」的方法，只要將編輯插入點移到要換的位置，按下鍵盤【Alt】+【Enter】鍵，儲存格就會進行換行的動作。

例如：將插入點移到「送」和「一」中間，按下【Alt】+【Enter】鍵即可換行。

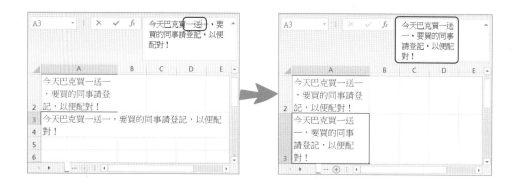

✅ 縮小字型以適合欄寬

開啟「設定儲存格格式」對話方塊，在「對齊方式」索引標籤中，勾選「縮小字型以適合欄寬」選項。但是這個方法只適合用在字數差距不大的文字內容，如果字數差太多，有些文字就會變得特別小，進而影響整體的美觀。

✓ 合併儲存格

合併儲存格可以將兩個或多個儲存格合併成一個，若單一儲存格內容超過欄寬時，為了避免影響其他列的寬度，最方便的方法就是「合併儲存格」。

首先先選取想要合併的儲存格範圍，再開啟「設定儲存格格式」對話方塊，勾選「合併儲存格」選項。

也可以在「常用\對齊方式」功能區中，按下 🔲 跨欄置中 ∨「跨欄置中」清單鈕，在清單功能中選擇執行 🔲 合併儲存格(M) 「合併儲存格」功能。

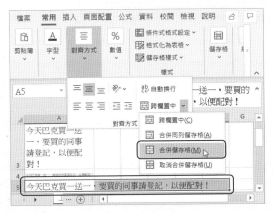

但 Excel 畢竟是試算表軟體，還有資料篩選、排序及樞紐分析表等功能，若是太依賴合併儲存格製作表格，會造成這些功能無法順利使用。在製作表格前，先確認表格的屬性及應用範圍，選擇最適合的方法或製作軟體。

儲存格對齊方式

文字內容若小於欄寬及列高，就有設定文字對齊方向的需求，一般來說就是水平方向左、中、右及垂直方向上、中、下的九種排列組合。

可以開啟「設定儲存格格式」對話方塊，在「對齊方式」索引標籤下設定文字對齊方式。

或是直接在「常用 \ 對齊方式」功能區中，選擇 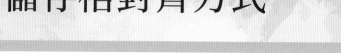 垂直對齊圖示鈕及 水平對齊圖示鈕。

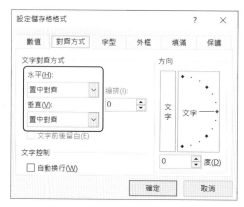

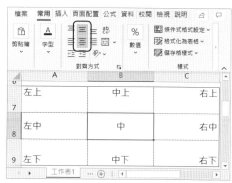

水平對齊方式中還有一個比較特別的「分散對齊」方式，必須在「設定儲存格格式」對話方塊中設定，可以搭配「文字前後留白」選項來使用，常用在標題文字。

由於使用分散對齊後，最左和最右的文字會緊貼著格線（框線），因此可以勾選「文字前後留白」選項，讓儲存格看起來更美觀。

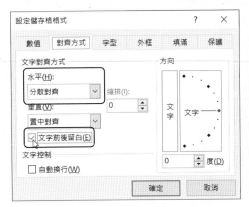

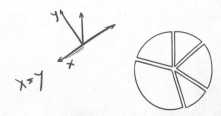

設定儲存格內容縮排

和「文字前後留白」很類似的功能就是設定文字縮排,當儲存格文字靠左或靠右對齊時,也是會有文字緊貼格線(框線)的困擾,這時候只要在「縮排」處,設定適當的縮排距離即可。

也可直接在「常用 \ 對齊方式」功能區中,找到相對應的 「減少縮排」及「增加縮排」圖示鈕。

另外「分散對齊」也可以設定縮排喔!有時候效果比留白好,不妨試試看!

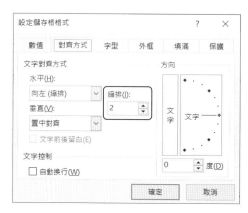

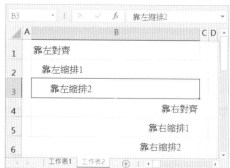

變更文字輸入方向

儲存格中的文字除了正常橫式顯示外，也可以東倒西歪或直的來顯示，只要在「設定儲存格格式」對話方塊中的方向來設定。

「常用\對齊方式」功能區中，也有 ⤸ ▾「方向」清單鈕，預設常見的文字方向可供選擇。

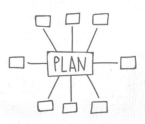

複製儲存格格式

設定了這麼多儲存格格式，遇到其他儲存格需要使用相同的格式，不必再進入「設定儲存格格式」對話方塊中套用，要如何快速複製格式呢？？

✔ 僅以格式填滿

你可能沒有注意到，使用拖曳複製儲存格時，儲存格旁會出現 ⊞ 「自動填滿選項」清單鈕，按下選單可以發現有一項「僅以格式填滿」，選擇此項後，只會複製來源的格式，不會覆蓋目標儲存格原有的文字。

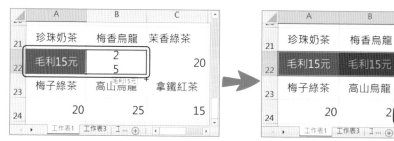

✅ 貼上格式

複製儲存格也有類似功能，是在「貼上」時，選擇貼上 「設定格式」功能。

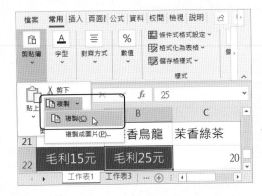

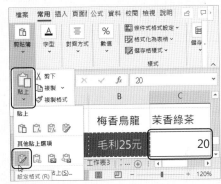

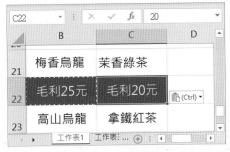

⊘ 使用複製格式

最方便的莫過於使用「剪貼簿」中的「複製格式」功能。選取來源儲存格，按下 ✍️複製格式「複製格式」圖示鈕，當游標變成 ⊹👔 符號，移到目標儲存格，按一下滑鼠左鍵，就完成複製格式的工作。

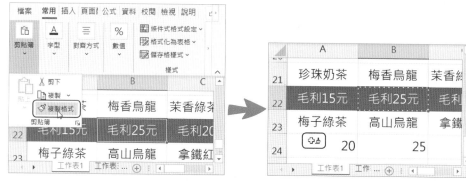

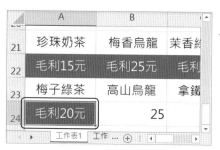

清除儲存格格式

介紹這麼多儲存格格式，設定起來十分容易，如果想要恢復最原始的儲存格格式，又不想重新輸入內容，最快速的方法就是執行「清除格式」指令。

首先選取要清除的儲存格範圍，在「常用 \ 編輯」功能區中，按下 ◇ 清除∨ 「清除」清單鈕，選擇執行 ％ 清除格式(F) 「清除格式」指令即可。

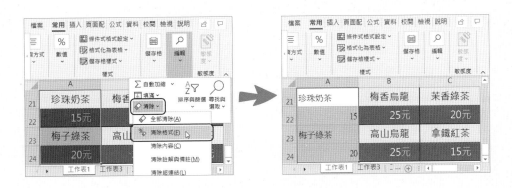

舊版 Excel 的使用者，可能還記得清除格式的快速鍵，就是依序按下鍵盤上【Alt】→【E】→【A】→【F】清除所有的格式（Erase All Format）即可。

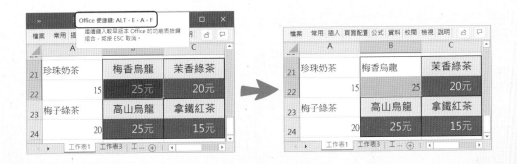

取消或顯示格線

接下來介紹另一項儲存格格式「框線」之前，必須了解 Excel 工作表上預設線條，並不是框線，而是「格線」。格線是分隔儲存格之間的灰色線條，只能選擇顯示或不顯示在整個工作表，原則上格線不會被列印（除非有設定）。

如果想要取消格線，就在「檢視\顯示」功能區中，取消勾選「格線」就可以取消顯示格線。

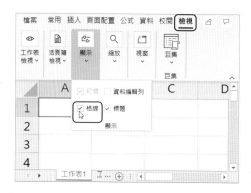 

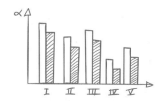

變化格線色彩

預設的格線是「灰色」，如果使用者想要換個顏色換換心情，嘛系野凍！首先切換到「檔案」索引標籤頁面，選擇「選項」子索引標籤，開啟「Excel 選項」對話方塊。

接著在 Excel 選項對話方塊中，切換到「進階」索引標籤，在「此工作表的顯示選項」標題項下，先勾選「顯示格線」，再按下「格線色彩」清單鈕，選擇要顯示的格線顏色，按下「確定」鈕即可。

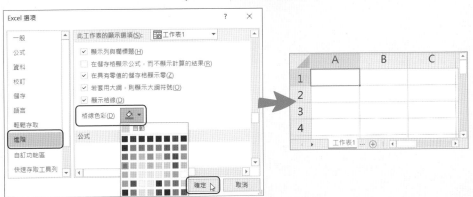

格線的顯示及色彩變化是以「工作表」為設定單位，因此可以根據不同工作表內容需求，而各自設定。

繪製儲存格框線

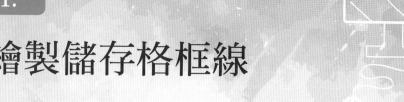

知道框線與格線的不同,接著就來開始繪製儲存格的框線吧!繪製框線的方法
大致有三種,使用者可以依據表單的需求選擇適合的方法。

✅ 快速套用框線

如果使用者只要簡單的框線,不妨利用「常用 \ 字型」功能區下的 ⊞ ∨「框
線」清單鈕,選擇要套用的預設框線樣式。這個方法雖然快速,可是無法選擇
框線顏色,框線的樣式也有限。

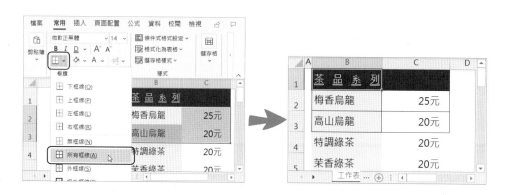

✅ 使用儲存格格式

如果要選擇框線顏色,表格也不需要太複雜的框線,不妨開啟「設定儲存格格
式」對話方塊,切換到「外框」索引標籤,可以選擇喜歡的線條樣式以及顏
色,利用 「快速格式」鈕,或儲存格四周的 「框線」鈕,
設計想要的框線樣式。

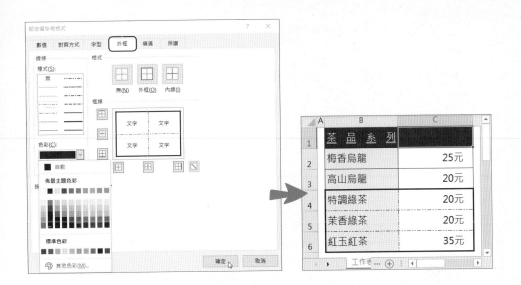

繪製框線工具

當然前兩種方法都要先選取要繪製框線的儲存格範圍，才能套用框線。但接下來的方法可能就多點自由。

按下「常用 \ 字型」功能區下的 ⊞ ▾「框線」清單鈕，在「繪製框線」區域中，先選擇線條樣式和顏色，再選擇要 ▦ 繪製框線(W) 繪製框線或 ⊞ 繪製框線格線(G) 繪製框線格線（內線），當游標變成 ✎ 或 ✎⊞ 符號時，直接在工作表使用拖曳的方式繪製框線。結束後快按滑鼠 2 下，則可恢復編輯儲存格。

清除框線

清除全部框線最快的方法，就是先選取要清除框線的儲存格範圍，再套用「無框線」樣式。

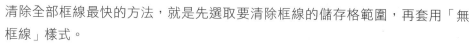

當然也可以使用繪製框線工具中的  「清除框線」工具，使用方法和繪製框線工具一樣，執行此指令後，游標會變成 符號，直接在工作表使用拖曳的方式清除儲存格框線。結束後快按滑鼠 2 下，則可恢復編輯儲存格。

繪製對角線

製作表格時，遇到列和欄交界位置時，我們通常會註明列和欄所代表的意思，如功課表中的 [星期/堂數]。該如何處理對角線呢？其實很簡單，只要在「設定儲存格格式」對話方塊，切換到「外框」索引標籤，按下 ☑☑ 對角線圖示鈕即可。

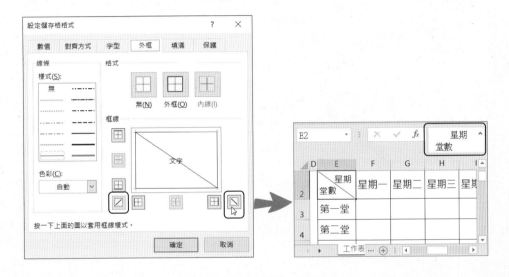

其實還有一個偷吃步的做法，就是利用「插入＼圖例」功能區中的「圖案」功能，插入＼「線條」圖案，這樣就可以省去在同一個儲存格強迫換行（Alt+Enter），再調整字距…等小細節，直接在 2 個儲存格輸入文字，在繪製對角線線條即可。

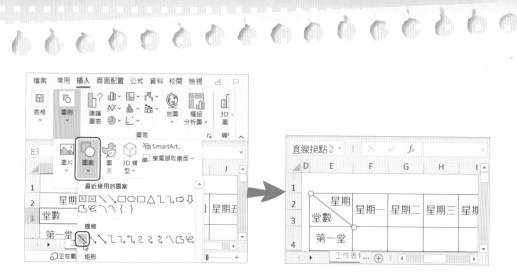

繪製完線條之後，也可以變更線條顏色及樣式，如果儲存格調整欄寬或列高，對角線線條也會跟著變動，可説十分方便。

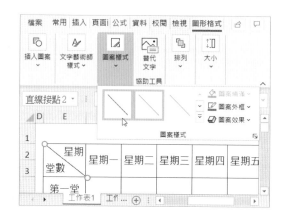

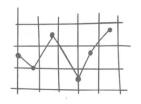

填滿儲存格色彩

儲存格底色是白色嗎？看起來是白色的沒錯，但其實是沒有填滿色彩（無填滿）的透明儲存格，因為工作表底色是白色，所以看起來就像是填滿白色而已。當工作表背景底色設定成其他顏色時，就能了解儲存格是沒有顏色的。

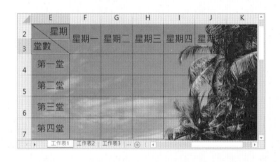

若要將儲存格加上繽紛的色彩非常簡單，只要先選取好儲存格範圍，在「常用 \ 字型」功能區中，按下 💧 ⌄「填滿色彩」清單鈕，選擇要填滿的色彩。

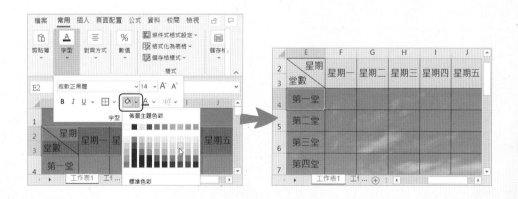

如果你覺得單一色彩不夠看，在「設定儲存格格式」對話方塊中，還有提供圖樣的選擇。若按下 填滿效果(I)... 鈕，還可以另外開啟「填滿效果」對話方塊，設定漸層效果，讓儲存格填滿色彩更具變化性。

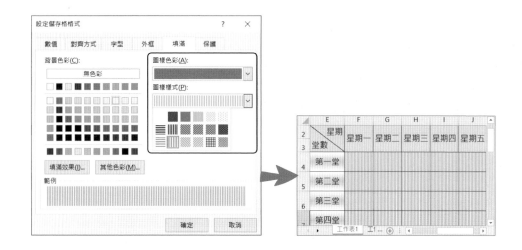

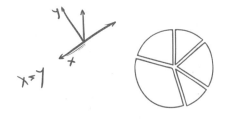

儲存格參照位置

儲存格格式介紹的差不多，還有一項非常重要的觀念一定要知道，就是儲存格的「參照位置」。本書一開始就提及過，儲存格的名稱是根據直的欄名（英文）和橫的列號（數字）交叉位置而命名，也就是我們常說的 A1、B2…儲存格。單一儲存格在選取之後，會在資料編輯列上顯示該儲存格的位置名稱。

而一個連續的儲存格範圍，通常會用最左上角和最右下角的儲存格作為起訖範圍的參照名稱，例如 A13:D16。

而在公式運用下，儲存格位置的參照大致可分成「相對參照」、「絕對參照」及「混合參照」三種模式。

✅ 相對參照

在預設的情況之下，都是採用「相對參照」模式。也就是說在公式運用上儲存格位置會視情況而做相對改變。

舉例說明：在 B3 儲存格輸入公式「=A3*18」，當我們使用拖曳的方法，複製 B3 儲存格公式到 B7 儲存格，這時候 B4 儲存格公式會變成「=A4*18」、B5 會變成「=A5*18」，而 B6 則變成「=A5*18」…以此類推；這種因為相對應位置而改變儲存格位置的參照模式則是「相對參照」。

✅ 絕對參照

但是有時候我們反而不希望參照位置任意改變，尤其在固定利率或比例的時候，這時候就要適時使用「絕對參照」。

舉例來說：水煎包每顆 18 元，將單價標註在 E1 儲存格。這時候在 E3 儲存格輸入公式「=D3*E1」，若我們使用拖曳的方法，複製 E3 儲存格公式到 E7 儲存格，這時候 E3:E7 會因為相對參照而計算不出金額。

 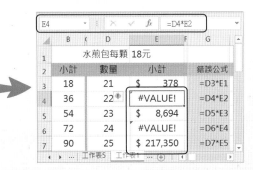

如果在 E3 儲存格公式「=D3*E1」中表示費率的 E1 儲存格，欄名及列號前面各加上一個「$」金錢符號，就可以鎖定儲存格位置，變成「絕對參照」模式。所以將 E3 儲存格公式改成「=D3*$E$1」，再試一次看有什麼不同。

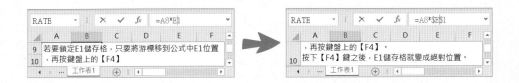

如果覺得手動輸入「$」金錢符號太遜了，告訴你一個厲害的撇步。就是在要鎖定的參照位置上，按下鍵盤上的【F4】鍵，Excel 就會幫我們加上「$」金錢符號。

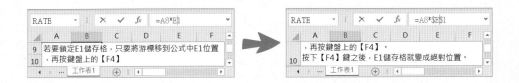

✅ 混合參照

儲存格位置是由欄名和列號組合而成，如果只有欄名或列號前方被加上「$」金錢符號，就是「混合參照」。

以 A1 儲存格為例，當我們第一次按下鍵盤【F4】鍵時，儲存格位置會變成「$A$1」的絕對參照；再一次按下【F4】鍵時，儲存格位置會變成「A$1」；再按【F4】鍵時，又會變成「$A1」；第四次按【F4】鍵時，最後又變回「A1」儲存格位置，如此循環。

其中「A$1」和「$A1」就是「混合參照」。「A$1」是鎖定列號，當橫向（欄）要變，直向（列）要不變時，要選擇此項；反之，「$A1」則是鎖定欄名，當橫向（欄）不變，直向（列）要變時的選擇。

MEMO

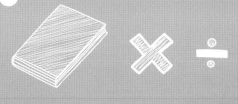

Section_2

準時下班的工具箱

F2 鍵切換輸入及編輯

使用 Excel 輸入資料最常發生編輯上的小麻煩，就是不小心打錯字，想要按方向鍵【←】回去修改時，游標卻往左邊儲存格移動。

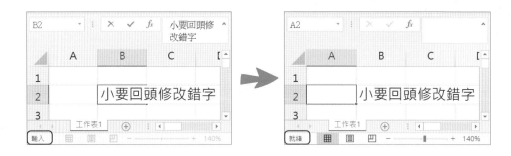

注意到了沒？當我們在輸入資料時，Excel 視窗下方的狀態列是顯示「輸入」，所以在「輸入」的狀態之下，Excel 會以為是要移動儲存格。其實只要將游標插入點在編輯列上點一下，就可以進入「編輯」狀態，此時再按方向鍵【←】，就會往前一個字移動。

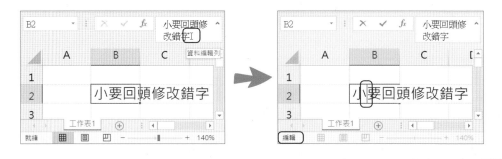

所以狀態列的訊息跟執行的動作有相關的對應，當選取儲存格時，就出現「就緒」；當輸入資料時，則顯示「輸入」；游標移動到資料編輯列時，就呈現「編輯」。

要切換「輸入」或「編輯」狀態，有一個快速的秘訣，就是按鍵盤上的【F2】鍵，雙手可以不用離開鍵盤，就能快速完成切換。

F4 鍵執行重複動作

有時候遇到要隱藏部分儲存格資料時，一直重複按滑鼠右鍵，開啟快顯功能表，執行「隱藏」指令，讓人覺得無趣。其實 Excel 提供一個好用的快速鍵【F4】，可以自動幫使用者重複最後一個指令。

以下圖為例，先選取整欄 A，按滑鼠右鍵，開啟快顯功能表，執行「隱藏」指令，將欄 A 隱藏起來。接著又想隱藏欄 C 的話，只要再選取整欄 C，按下鍵盤上【F4】鍵即可。

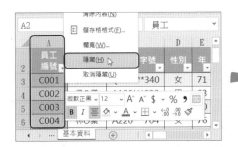

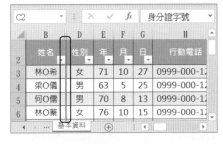

【F4】鍵雖然方便，但不是每個指令都適用，適用指令包括：

(1) 儲存格的填滿色彩

(2) 字型的種類、大小和色彩

(3) 插入或刪除儲存

(4) 隱藏或取消隱藏儲存

(5) 設定儲存格數值格式

(6) 刪除工作表

…等等，只要善用【F4】鍵執行重複功能，就可以省去不少時間。

F5 鍵選取指定儲存格

有什麼比捲動軸更能快速找到我們指定的儲存格位置？ Excel 提供一個非常方便的功能「到」。什麼「到」？是什麼東西？？

假設我們要選取 HD123 儲存格，只要切換到「常用\編輯」功能區，按下「尋找與選取」清單鈕，執行「到」指令。另外開啟「到」對話方塊，在參照位置中輸入要找的「HD123」儲存格，按下「確定」鈕，就會幫我們找到指定的儲存格位置。

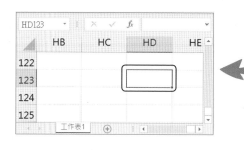

這麼好用的功能當然要給它一個快速鍵！只要按下鍵盤上【F5】鍵，就可以快速開啟「到」對話方塊，而且在空白處還會記錄到達過的儲存格位置。

祕技 04.

選取目標儲存格

開啟新接手的檔案資料，在密密麻麻的儲存格中，想要知道哪些是公式？哪些含有註解？哪些是格式化條件？有時候真讓人丈二金剛摸不著頭緒？不用太著急！

在「常用\編輯」功能區，按下「尋找與選取」清單鈕，你可以看到公式、註解、設定格式化條件、常數和資料驗證，這些是用來幫你在工作表中，找到含有這些條件的儲存格。

假設我們要找工作表中，含有「公式」的儲存格，只要執行「公式」指令，Excel 就會選取含有公式的儲存格範圍。原來含有公式的儲存格，也可能偽裝成空格。

F5 鍵選取空白儲存格

上面的功能好像很厲害，可以找到特殊目標的儲存格，但是就只能找那五樣東西嗎？如果想要找其他的該如何處理呢？還記得【F5】快速鍵嗎？就是執行「到」這項功能的快速鍵，趕快按下【F5】鍵，開啟「到」對話方塊，看看有什麼秘密？

假設眾多的產品資料中，還有一些尚未填寫資料的空白儲存格，我們找到這些儲存格。按【F5】，開啟「到」對話方塊，按下「特殊」鈕。

這時候會另外開啟一個「特殊目標」的對話方塊，原來還有這麼多目標選項。選擇「空格」後，按下「確定」鈕，就會選取工作表中所有的空白儲存格。選取到的空白儲存格還可以進一步做編輯，例如輸入文字或是刪除多餘的儲存格。

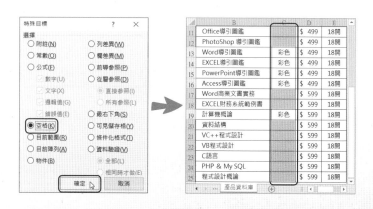

替空格快速補上文字

用 F5 選取出來空格有什麼用？

我們可以使用【Enter】鍵，逐一檢視空格的位置，判斷是否需要補充其他資料；如果需要輸入相同字詞，還可以利用【Ctrl】+【Enter】鍵，快速將空格補上相同文字。

舉例說明：在 A1 儲存格利用「到\特殊」指令找到了空格，但目標儲存格仍在 A1，按一下【Enter】鍵，目標儲存格就會跳到第一個空格 C11，此時就可以在此輸入文字「黑白」。若想在其他空格輸入相同文字，只要同時按下【Ctrl】+【Enter】鍵，其他的空格都會填入「黑白」字樣。

Shift 鍵移動整欄或列

如果遇到整欄或整列要移動到另一個地方，通常會想到利用剪貼簿，將整欄（列）執行「剪下」指令，到新位置再執行「插入剪下的儲存格」複製，不過這樣似乎只是小學程度的水準，真正厲害的是幼兒園的方法。

什麼？幼兒園的方法？

就是直接拖曳搬動就好！

不過左手還要偷偷按下鍵盤的【Shift】鍵，這才是真正的小心機。

舉例說明：假設員工資料表中性別要和身分證字號對調位置，首先選取整列C，將游標移到欄邊界處，等到游標變成 符號，按住鍵盤【Shift】鍵及滑鼠左鍵，將整欄拖曳到欄 D 與欄 E 的邊界，放開滑鼠及鍵盤即可。

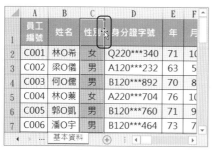

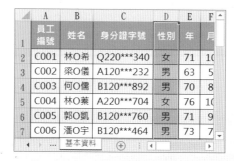

重新命名工作表

Excel 最大的特色除了一格一格的儲存格外，就是一張一張的工作表，在同一個活頁簿檔案中，可以包含 255 個工作表，足夠存放一整年工作天的日報表。想要更改預設的工作表名稱有三個方法。

第一個方法就是在「常用 \ 儲存格」功能區，按下「格式」清單鈕，選擇執行「重新命名工作表」指令。第二個方法就是將游標移到工作表標籤上，按滑鼠右鍵開啟快顯功能表，執行「重新命名」指令。第三個方法最簡單，就是直接在工作表標籤上快按滑鼠左鍵 2 下。

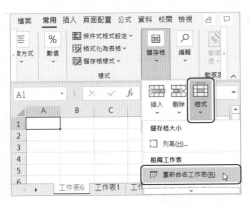

不管哪一種方法，最後工作表名稱都會反白選取，只要直接輸入要更改的名稱，輸入完成後按下鍵盤【Enter】鍵或點選任一儲存格即可。

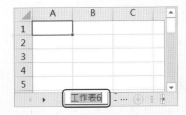

利用工作群組
批次修改工作表

當工作表內容具有一致性，可能因為不同日期而製作相同的報表，例如常見的營業日報表、零用金撥補表或是損益表，如果其中要增加或刪除資料時，不必一張一張的修改，可以利用工作群組批次修改工作表內容。

舉例說明：下圖是 1~6 月的零用金撥補表，假設我們要將會計科目「文具印刷」科目詳細分成「文具用品」及「影印裝訂」兩個科目。

零用金撥補表			申請月份 1月份
科目名稱	費用	稅額	支出金額
文具印刷	650	33	$ 683
差旅費	1,220	61	$ 1,281
運費	250	13	$ 263
郵電費	650	33	$ 683
修繕費	1,500	75	$ 1,575
廣告費			$

零用金撥補表			申請月份 2月份
科目名稱	費用	稅額	支出金額
文具印刷	1,254	63	$ 1,3
差旅費	5,714	286	$ 6,0
運費	2,223	111	$ 2,3
郵電費	550	28	$
修繕費	1,143	57	$ 1,2

零用金撥補表			申請月份 3月份
科目名稱	費用	稅額	支出金額
文具印刷	876	44	$ 920
差旅費	5,714	286	$ 6,000
運費	2,223	111	$ 2,334
郵電費	550	28	$ 578
修繕費	1,143	57	$ 1,200
廣告費	2,381	119	$ 2,500

零用金撥補表			申請月份 4月份
科目名稱	費用	稅額	支出金額
文具印刷	1,250	63	$ 1,313
差旅費	-	-	$ -
運費	1,200	60	$ 1,260
郵電費	670	34	$ 704
修繕費	-	-	$ -
廣告費	2,381	119	$ 2,500

零用金撥補表			申請月份 5月份
科目名稱	費用	稅額	支出金額
文具印刷	658	33	$ 691
差旅費	6,500	325	$ 6,825
運費	1,800	90	$ 1,890
郵電費	450	23	$ 473
修繕費	-	-	$ -
廣告費	3,600	180	$ 3,780

零用金撥補表			申請月份 6月份
科目名稱	費用	稅額	支出金額
文具印刷	650	33	$ 683
差旅費	1,220	61	$ 1,281
運費	250	13	$ 263
郵電費	650	33	$ 683
修繕費	1,500	75	$ 1,575
廣告費			$

首先將先點選 1 月工作表標籤，按下鍵盤【Shift】鍵，再將游標移到 6 月工作表標籤，按一下滑鼠左鍵，完成選取 1~6 月工作表。此時活頁簿標題會增加[資料組]字樣。

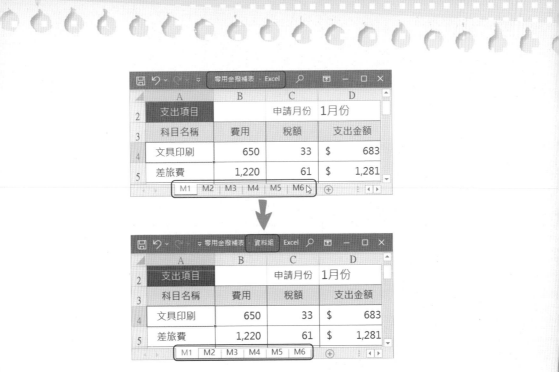

此時就可以開始進行插入列及修改科目名稱等動作。修改完要結束工作群組，只要在任何工作表標籤上，按一下滑鼠左鍵，就可以取消群組。

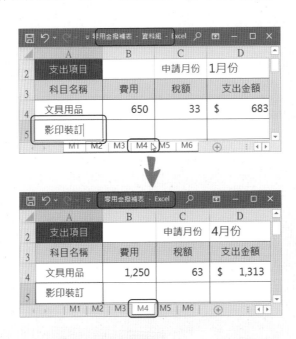

再去檢查一下，真的每張工作表都做同樣的修改，真的非常快速方便。

	A	B	C	D	E
1	零用金撥補表				
2	支出項目		申請月份 1月份		
3	科目名稱	費用	稅額	支出金額	
4	文具用品	650	33	$ 683	
5	印刷裝訂				
6	差旅費	1,220	61	$ 1,281	
7	運費	250	13	$ 263	
8	郵電費	650	33	$ 683	
9	修繕費	1,500	75	$ 1,575	

◀ ▶ M1 M2 M3 M4 … ⊕

	A	B	C	D	E
1	零用金撥補表				
2	支出項目		申請月份 2月份		
3	科目名稱	費用	稅額	支出金額	
4	文具用品	1,254	63	$ 1,317	
5	印刷裝訂				
6	差旅費	5,714	286	$ 6,000	
7	運費	2,223	111	$ 2,334	
8	郵電費	550	28	$ 578	
9	修繕費	1,143	57	$ 1,200	

◀ ▶ M1 M2 M3 M4 … ⊕

	A	B	C	D	E
1	零用金撥補表				
2	支出項目		申請月份 3月份		
3	科目名稱	費用	稅額	支出金額	
4	文具用品	876	44	$ 920	
5	印刷裝訂				
6	差旅費	5,714	286	$ 6,000	
7	運費	2,223	111	$ 2,334	
8	郵電費	550	28	$ 578	
9	修繕費	1,143	57	$ 1,200	

◀ ▶ M1 M2 M3 M4 … ⊕

	A	B	C	D	E
1	零用金撥補表				
2	支出項目		申請月份 4月份		
3	科目名稱	費用	稅額	支出金額	
4	文具用品	1,250	63	$ 1,313	
5	影印裝訂				
6	差旅費		-	$ -	
7	運費	1,200	60	$ 1,260	
8	郵電費	670	34	$ 704	
9	修繕費		-	$ -	

◀ ▶ M1 M2 M3 M4 … ⊕

	A	B	C	D	E
1	零用金撥補表				
2	支出項目		申請月份 5月份		
3	科目名稱	費用	稅額	支出金額	
4	文具用品	658	33	$ 691	
5	印刷裝訂				
6	差旅費	6,500	325	$ 6,825	
7	運費	1,800	90	$ 1,890	
8	郵電費	450	23	$ 473	
9	修繕費		-	$ -	

◀ ▶ M3 M4 M5 M6 … ⊕

	A	B	C	D	
1	零用金撥補表				
2	支出項目		申請月份 6月份		
3	科目名稱	費用	稅額	支出金額	
4	文具用品	650	33	$ 68	
5	印刷裝訂				
6	差旅費	1,220	61	$ 1,28	
7	運費	250	13	$ 26	

◀ ▶ M1 M2 M3 M4 M5 M6 ⊕

填滿控點

Excel 有一個最基本一定要知道的功能，就是儲存格右下方一個不起眼的小方點 [ ]，稱之為「填滿控點」。這一個小方點有什麼重要的功能呢？

針對文字格式或數字格式，按住滑鼠左鍵拖曳它，可以快速複製儲存格內容。
針對數字格式，若加上鍵盤的【Ctrl】鍵還可以產生流水序號。

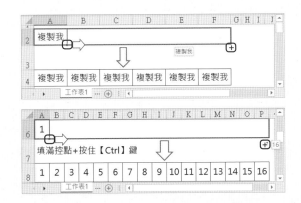

如果是文字和數字混合型或是日期格式，拖曳填滿控點則會產生流水序號及連續日期。

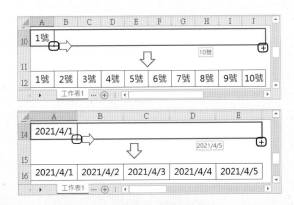

但不管是任何儲存格格式，按住滑鼠「右」鍵，拖曳填滿控點，還會有選單出現。數字則可以選擇複製或數列填滿儲存格，日期則可選擇「以天數填滿」、「以工作日填滿」、「以月填滿」及「以年填滿」等選項。

複製儲存格(C)

以數列填滿(S)

僅以格式填滿(F)

填滿但不填入格式(O)

以天數填滿(D)

以工作日填滿(W)

以月填滿(M)

以年填滿(Y)

等差趨勢(L)

等比趨勢(G)

快速填入(F)

數列(E)...

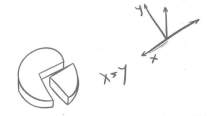

自動填滿

如果要輸入大量的流水序號，使用填滿控點速度稍嫌緩慢，這時候派出更省時的秘密武器「自動填滿」功能（數列）。

假設我們輸入 2 到 20000 的流水號，而且只要偶數。哇！這未免太麻煩了吧？別擔心！讓貼心的 Excel 幫你快速完成。

先在 A1 儲存格輸入開始數值「2」，在「常用\編輯」功能區，按下 ↓填滿 ∨「填滿」清單鈕，選擇執行「數列」指令。另外開啟「數列」對話方塊，在「數列資料取自」選擇「欄」，因為只要偶數，所以間距值輸入「2」，終止值輸入「20000」，這樣設定就 OK 了！最後按下「確定」鈕，看看有什麼變化？

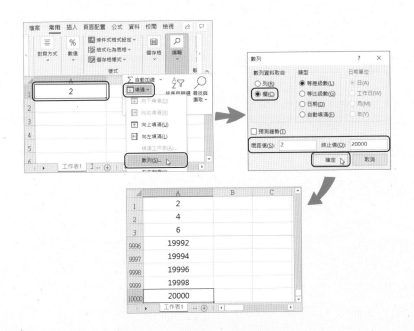

欄 A 出現眾多偶數值，一直到 20000 號，真是太棒了！

按住滑鼠「右」鍵，拖曳填滿控點，也可以選擇開啟「數列」對話方塊喔！

自動校正簡化輸入

這是我最喜歡的一項功能，不僅是在 Excel 中可以使用，在 Office 家族中都可比照辦理。像我寫 Office 應用書時，常要讀者「切換到某某工作表標籤」，偷懶的我怎麼可能每次都一個字一個字慢慢敲，當然要善用這項超省時功能，只要在「自動校正選項」中先設定好通用密碼。

舉例說明：公司有 2 個銀行帳戶，台 O 銀行活期存款帳號為 104-1685889-9，台 O 銀行支票存款帳號為 104-1680002-8，分別用「# 台活」和「# 台支」作為代號。

先按下「檔案」功能索引標籤，按下「選項」開啟 Excel 選項對話方塊。

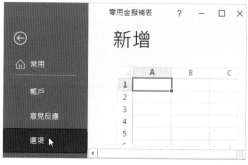

切換到「校訂」索引標籤，按下「自動校正選項」鈕。另外開啟「自動校正」對話方塊，在「取代」空白處輸入代號「# 台活」，接著在右方「成為」空白處輸入帳號「'104-1685889-9」，完成後按下「新增」鈕，繼續輸入下一個代號。

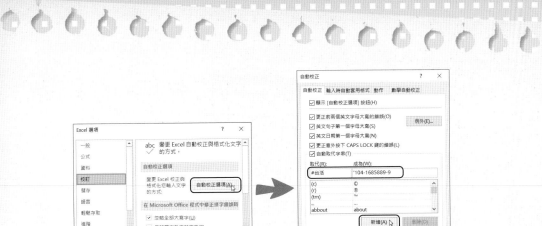

已設定好的代號會出現在下方清單中。繼續在「取代」空白處輸入代號「# 台支」，接著在右方「成為」空白處輸入帳號「'104-1680002-8」，不需要新增下一個項目時，按 2 次「確定」鈕，回到編輯工作表。

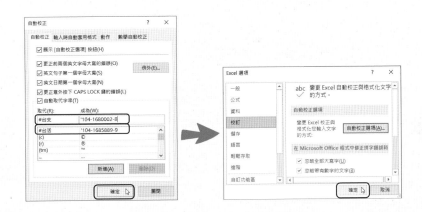

回到工作表趕快來測試一下設定的結果，在儲存格中輸入「請支付帳款到 # 台活」，Excel 自動幫我們校正成「請支付帳款到 '104-1685889-9」，雖然剛開始還要很麻煩的設定，但是可以為日後省下不少時間喔！

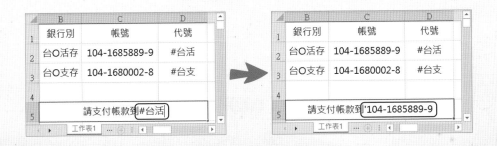

自訂清單

和「自動校正」功能有異曲同工之妙的就是「自訂清單」功能，自動校正是先設定好代號在輸入時候做取代，而「自訂清單」功能則是巧妙運用填滿控點的特性，只要輸入自訂清單中的其中一個項目，當使用填滿控點拖曳儲存格到下一個時，則會自動填入下一個項目，以此類推。

舉例來說，我們輸入「星期一」，若使用填滿控點拖曳儲存格，會自動依序填入「星期二」、「星期三」…，但是若填入「第一週」，卻不會自動填入「第二週」…？

因為 Excel 已經預設星期日～星期六為「自訂清單」選項之一，而不是將大寫的一、二、三…當作數字處理。

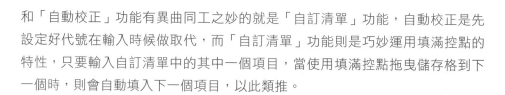

建立自訂清單

接著介紹如何建立自訂清單，先執行「檔案\選項」指令，開啟「選項」對話方塊，在「進階」索引標籤中，按下「編輯自訂清單」鈕。

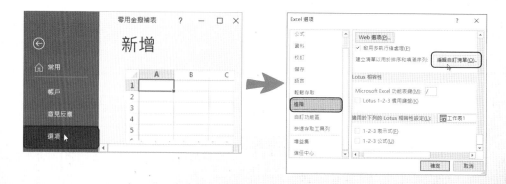

另外開啟「自訂清單」對話方塊，在「清單項目」空白處輸入清單選項，每一選項以【Enter】鍵換行作為區隔，輸入完成後按下「新增」鈕。

此時自訂清單中會出現新增的清單項目，按下「確定」鈕，則完成編輯自訂清單，回到工作表。

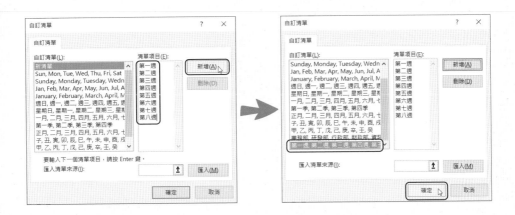

試試看使用填滿控點拖曳填滿儲存格！儲存格果真按照自訂清單的順序幫我們自動填滿。

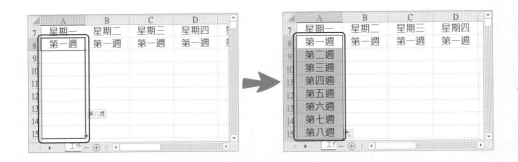

透過自訂清單的方式，就可以達成快速填滿儲存格的工作。而且後續還可以應用在排序及下拉式清單選項中，真的很方便。

✅ 匯入自訂清單

了解自訂清單的功能，真的要每次都這樣重新輸入嗎？其實你也可以利用已經在工作表中輸入完成的清單，再利用「匯入」的功能，將清單匯入成清單項目。

首先選取想要建立清單的儲存格範圍，接著執行「檔案\選項」指令，在「選項\進階」索引標籤中，按下「編輯自訂清單」鈕。

另外開啟「自訂清單」對話方塊，匯入清單來源中會自動顯示剛才所選取的儲存格範圍，按下「匯入」鈕。

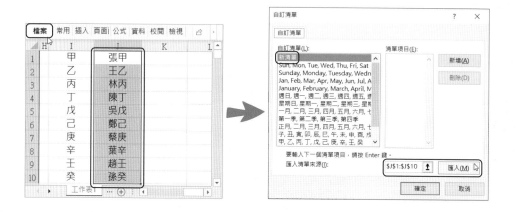

此時自訂清單中會出現新增的清單項目，直接按「確定」鈕，完成編輯自訂清單。

回到工作表中，輸入清單項目中任一名稱，使用填滿控點拖曳填滿儲存格，會依照自訂清單的順序循環填滿儲存格。

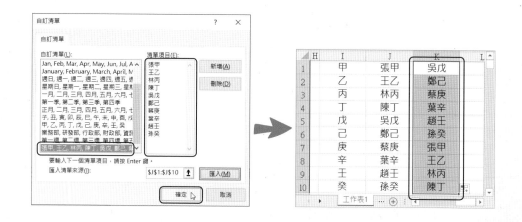

◉ 修改及刪除自訂清單

預設的自訂清單項目是無法修改或刪除，只有使用者自訂的才行，要分辨兩者差異很簡單，預設的自訂清單選取時，會呈現灰色，而且「新增」及「刪除」鈕也無法作用。

如果修改自訂清單內容很容易，只要先選取要修改的自訂清單，然後在清單項目中直接輸入要新增或修改的項目，修改完再按下「新增」鈕即可。

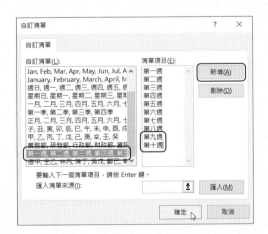

刪除的方法也是先選取要刪除的自訂清單，然後按下「刪除」鈕。此時會跳出一個確認方塊，按下「確定」鈕就可以將清單刪除。

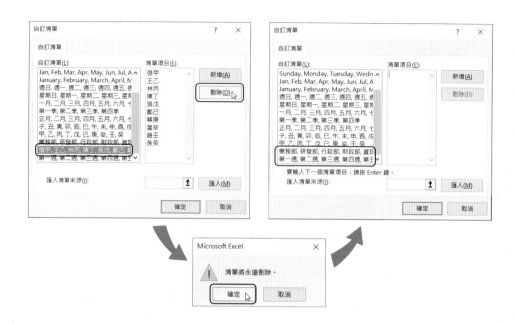

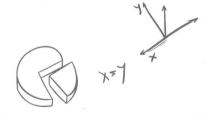

凍結窗格

Excel 工作表在螢幕上是屬於無邊界，使用者可以自由的向下及向右延伸，但是當版面越來越寬廣，滑鼠向下滾動就看不到列標題，水平捲軸向右滑動就看不到欄標題，必須回到最前方才能了解數值代表的意義。如此重複上上下下、左左右右，眼睛不花也很難，所以我們需要「凍結窗格」功能來協助我們。

	A	B	C	D	E	F	G
37	34	110,100	1,708	3,416	5,124	6,832	5,396
38	35	115,500	1,791	3,582	5,373	7,164	5,661
39	36	120,900	1,875	3,750	5,625	7,500	5,926
40	37	126,300	1,959	3,918	5,877	7,836	6,190
41	38	131,700	2,043	4,086	6,129	8,172	6,455
42	39	137,100	2,126	4,252	6,378	8,504	6,719
43	40	142,500	2,210	4,420	6,630	8,840	6,984
44	41	147,900	2,294	4,588	6,882	9,176	7,249

✅ 凍結窗格

「凍結窗格」顧名思義就是將標題固定在可見的範圍裡，不會因為滑鼠滾動或捲動工作表時，使標題列（欄）消失。

首先選取交叉欄列的儲存格，假設我們選取 C4 儲存格，切換到「檢視 \ 視窗」功能區中，按下「凍結窗格」清單鈕，執行「凍結窗格」指令。凍結之後，當選取 G47 儲存格，欄 A~B 和列 1~3 依然清晰可見。

🅥 凍結頂端列（首欄）

「凍結頂端列」功能僅限於凍結工作表視窗中的第一列，也就是不管使用者要凍結哪一列標題，只要將那一列保持在工作表顯示範圍的第一列即可。

假設我們想要凍結列 2 的標題，將列 2 捲動到工作表首行的位置，再選取列 3 中任何儲存格，切換到「檢視 \ 視窗」功能區中，按下「凍結窗格」清單鈕，執行「凍結頂端列」指令。

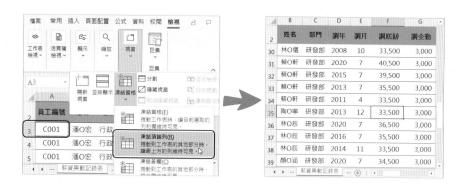

「凍結首欄」功能也是相同概念，只是將「列」改成「欄」而已。如果要同時凍結欄和列，就只能執行「凍結窗格」功能，不能重複執行「凍結首欄」和「凍結頂端列」功能，因為這三個功能互相看不順眼，只能擇一執行。

🅥 取消凍結窗格

凍結窗格並不會影響列印的版面設定，所以要不要特意取消？真的無所謂！如果不想繼續使用這項功能，只要切換到「檢視 \ 視窗」功能區中，按下「凍結窗格」清單鈕，執行「取消凍結窗格」指令。

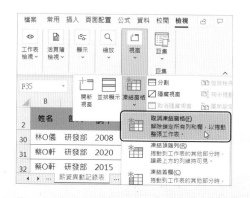

祕技 15.

選擇性貼上

使用 Excel 如果只會使用複製、貼上就太遜了！而且 Excel 公式中常常會參照儲存格位置，如果沒有注意很容易出錯。|

以下圖為例，當我們複製 F4 儲存格，在 H4 儲存格貼上，出現的結果竟然是錯誤訊息！

因此 Excel 提供很多「貼上」的選擇，使用者可以根據實際狀況，選擇適合的貼上選項使用。

值

我們常常會參照其他工作表得到新的資訊，但是公式所得到的結果，容易因為儲存格移動或是參照位置變動而導致錯誤。為了避免這種錯誤，建議將所得到的結果轉換成數值或文字，這時候就是要選擇貼上「值」。

舉例來說，轉帳明細表從員工資料表中參照到銀行帳號，此時雖然顯示的是銀行帳號，但實際上是公式。首先切換到「常用\剪貼簿」功能區，複製銀行帳號儲存格，再按下「貼上」清單鈕，執行貼上 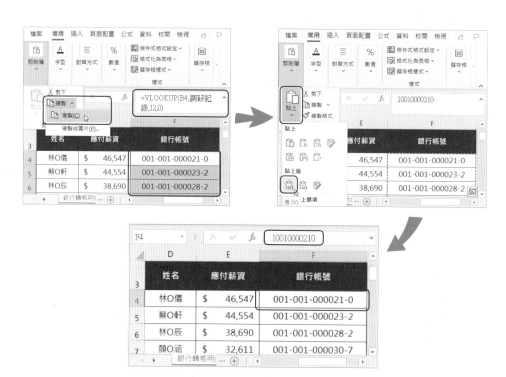 「值」指令。原本的公式會以數值的方式，重新被貼回儲存格中。

運算

有時候我們會遇到一整串的數字必須同時加上固定的數值，比如公司產品售價都要另外加上 50 元的運費，或是全面加薪 5%... 等情況，雖然可以另外設定公式計算，但是 Excel 提供另一個好方法「選擇性貼上」。

舉例來說，公司今年加薪幅度 3%，因此加薪後薪資會是原底薪的 1.03 倍。使用方法很簡單，先在空白儲存格輸入要計算的數字 1.03，然後執行「複製」指令。接著選取要被計算的薪資資料的儲存格範圍，再按下「貼上」清單鈕，執行「選擇性貼上」指令。

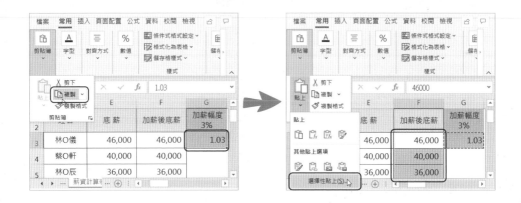

另外開啟「選擇性貼上」對話方塊，在「運算」處選擇「乘」法，按下「確定」鈕。回到工作表，加薪後的薪資資料自動運算完成。

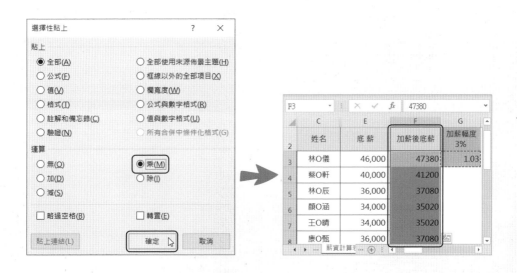

注意到了嗎？？雖然自動貼上計算後的新數值，但是原有的格式卻也被新格式所取代而不見了！如果在「選擇性貼上」對話方塊中，多選擇貼上「值」，就可以保有原有的格式。

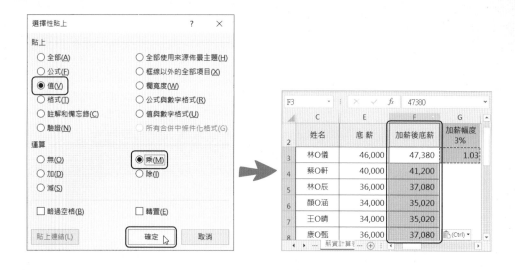

✅ 轉置

「轉置」這個名稱聽起來普普通通，沒有特別厲害的感覺。如果換個説法「轉向」，就是把直向的工作表，轉成橫向工作表，是不是就厲害許多？

首先選取要轉向的儲存格範圍，執行「複製」指令。接著選取表格外的儲存格，按滑鼠右鍵開啟快顯功能表，執行貼上選項 📋「轉置」指令。

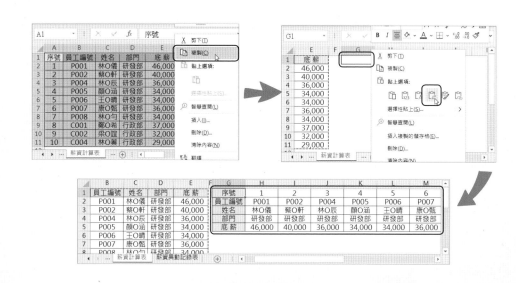

瞧！原本的標題列變成標題欄，表格整個被轉向了！當然也可以反向轉回來呦！

資料驗證

「資料驗證」顧名思義就是要驗證輸入的資料是否符合標準,至於是什麼標準?規定如何?就是要由使用者自行設定。

資料驗證功能大致分成 4 個步驟:

步驟 1.「設定」–先在特定儲存格設定資料驗證的準則。

步驟 2.「輸入訊息」–當使用者選取此儲存格時,要給予什麼樣的提示訊息?

步驟 3.「錯誤提醒」–當使用者輸入與資料驗證準則不相符的資料時,要給予什麼樣的錯誤提醒?是強制禁止還是給予警告?

步驟 4.「輸入法模式」–是否要控制該儲存格的預設輸入法?

假設本單位公文的文號必須是一個英文字母加上 12 位數字,共 13 個文字長度的編碼,當選取儲存格時,必須要提醒第一個字必須是英文字母,若文號長度不足 13 個字,則必須強制重新輸入。

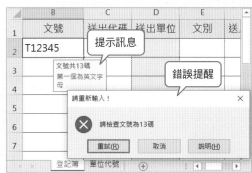

首先選取要設定資料驗證的儲存格，在「資料\資料工具」功能區中，執行「資料驗證」指令，開啟「資料驗證」對話方塊。

步驟 1. 在「設定」索引標籤中，設定資料驗證準則為儲存格內允許「文字長度」、資料「等於」、長度「13」。

步驟 2. 在「輸入訊息」索引標籤中，勾選「當儲存格被選取時，顯示輸入訊息」、標題輸入「文號共13碼」、輸入訊息輸入「第一個為英文字母」。

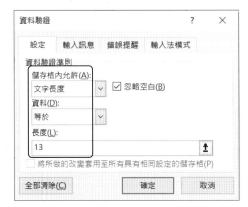

步驟 3. 在「錯誤提醒」索引標籤中，勾選「輸入的資料不正確時顯示警訊」、樣式選擇「停止」（預設）、標題輸入「請重新輸入！」、訊息內容輸入「請檢查文號為 13 碼」。

步驟 4. 在「輸入法模式」索引標籤中，選擇「關閉（英文模式）」，最後按下
「確定」鈕，關閉「資料驗證」對話方塊。

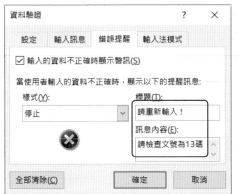 

但是這 4 個步驟不是一定全部都要執行，可以選擇需要的內容加以設定即可。

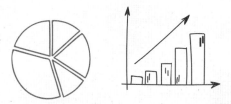

驗證日期準則

驗證準則的「日期」這個項目最適合用在公文登記中，因為會辦日期和完成日期絕對不能早於收文日期，但是有可能在同一天完成，因此資料只要「大於或等於」發文日期的儲存格位置即可。

選取會辦日期的儲存格，執行「資料驗證」指令，開啟「資料驗證」對話方塊。

在「設定」索引標籤中，設定資料驗證準則為儲存格內允許選擇「日期」、資料處選擇「大於」、開始日期選取相對應的「收文日期」儲存格，按下「確定」鈕即可。

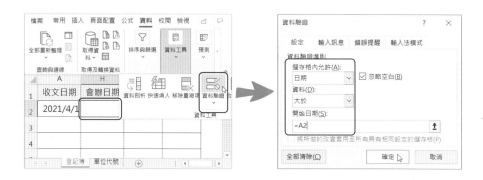

同一資料欄位的資料驗證不需要逐一設定，只要利用填滿控點拖曳複製儲存格即可。

製作下拉式清單

資料驗證中有一個非常好用的功能，就是建立下拉式清單鈕。其實是驗證準則下的其中一項，主要提供使用者預設的清單作為選項。

假設內部公文登記簿上的文別，提供「簽」、「函」、「文件表單」和「用印申請單」四種文別選項。

選取建立文別清單的儲存格，利用鍵盤快速鍵【Alt】→【D】→【L】，或執行「資料驗證」指令，開啟「資料驗證」對話方塊。

在「設定」索引標籤中，設定資料驗證準則為儲存格內允許選擇「清單」、來源處輸入「簽,函,文件表單,用印申請單」，按下「確定」鈕即可。選項間的「,」逗號要使用半形喔！

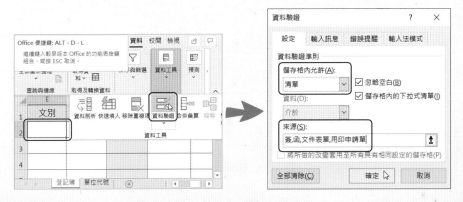

建立提示訊息

資料驗證中的「提示訊息」和「註解」有著異曲同工之妙，都可以在儲存格旁給予使用者適當的提醒，不同的是，註解只要游標移到該儲存格時，就會顯示；而提示訊息則是要選取該儲存格時，才會顯示。

若是要將資料驗證中的「輸入訊息」單純做為提醒使用，在「設定」驗證準則時，儲存格內允許就必須選擇預設值「任意數」。而在「輸入訊息」索引標籤中，務必勾選「當儲存格被選取時，顯示輸入訊息」，標題可省略，但是輸入訊息一定輸入文字內容。最後按下「確定」鈕即可。

選擇錯誤提醒

當我們設定資料驗證時，Excel 會自動幫我們選擇 ❌「停止」樣式的錯誤提醒，也就是當輸入的資料不符合驗證準則時，就強制不能輸入任何值。但不是每個儲存格都必須嚴格遵守驗證準則，就像是各單位的代號，會依照不同處室作為大分類號，再依照組別細分子分類號。

	A	B	C	D
1	10	教務處	13	研究發展處
2	1000	教務處	1300	研究發展處
3	1001	課務組	1301	學術發展組
4	1002	註冊組	1303	技術合作組
5	1003	綜合業務組	1304	創新育成中心
6	1004	教師發展組	14	國際事務處
7	1005	教學資源中心	1400	國際事務處
8	11	學生事務處	1401	國際合作組
9	1100	學生事務處	1402	國際學生組

登記簿　單位代號　⊕

假設我們希望單位代碼盡可能的輸入 4 碼，可以知道更詳細的組別，但是發（受）文是給整個處室時，也能接受 2 碼。此時就可以選擇錯誤提醒樣式為 ⚠「警告」或 ℹ「資訊」這兩種。

✅ 停止

如果選擇「停止」樣式，當輸入 2 碼代號時，會出現下圖訊息。按「重試」鈕，則回到目前的儲存格強制重新輸入資料；按「取消」鈕則恢復空白儲存格。

✅ 警告

如果選擇「警告」樣式，當輸入不符合驗證準則資料時，會出現下圖訊息。按「是」鈕會接受目前的輸入值且自動跳到下一個儲存格；按「取消」鈕則恢復空白儲存格；按「否」鈕，則回到目前的儲存格可重新輸入資料。

✅ 資訊

如果選擇「資訊」樣式，當輸入不符合驗證準則資料時，會出現下圖訊息。按「確定」鈕會接受目前的輸入值且自動跳到下一個儲存格；按「取消」鈕則恢復空白儲存格。

尋找與取代

面對 Excel 工作表的龐大眾多資料，想要尋找某個字詞或是公式，真像大海撈針一樣，更不用說要將某個參照位置替換成另一個參照位置，更是一件痛苦的差事。所以「尋找與取代」這項功能，非得熟悉不可。

◎ 尋找「全部尋找」

最常使用的方法就是在「常用\編輯」功能區中，按下「尋找與選取」清單鈕，執行「尋找」指令。在「尋找及取代」對話方塊中，輸入想要尋找目標的關鍵字，按下「全部尋找」鈕。

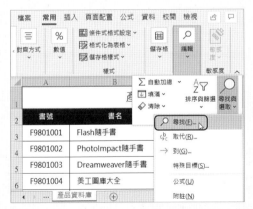

立即就會出現尋找的結果，值
得一提的是這些結果還具有超
連結，只要一點，就可以立刻
帶你到所在的儲存格位置。

✅ 尋找「區分大小寫」

最基本的尋找功能就足以應付絕大部分的搜尋工作，但是還有其他更細部的選
項，也不妨來試試看。

就像上面尋找的關鍵字 Excel，有些時候我們會輸入成全部大寫的 EXCEL，而
正常的尋找是不會區分大小寫，所以全部都會被找出來。如果我們強烈要求一

定要找到完全相符的英文字，
只要按下【Ctrl】+【F】快速
鍵，開啟「尋找及取代」對話
方塊，輸入想要尋找目標的關
鍵字，按「選項」鈕開啟更多
細部選項，勾選「大小寫需相
符」，最後按下「全部尋找」
鈕即可。

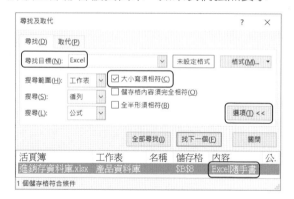

✅ 尋找「完全相符」

上述兩種尋找的方式是屬於關
鍵字的概念，也就是說儲存格
中只要「包含」關鍵字，就會
全部被找尋出來。舉例來說我
們輸入「綠茶」，就會找出所
有包含「綠茶」這個關鍵字的
所有資料，因此「綠茶」、「綠
茶多酚」和「綠茶蛋糕」有這
3 個符合條件的儲存格。

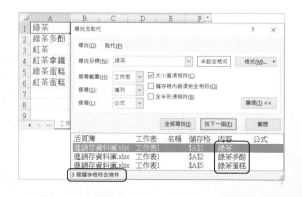

如果我們要更精確一點，只要找到完全相同的資料，這時候就要勾選「儲存格內容須完全相符」選項，就只會找到「綠茶」這一個資料儲存格。

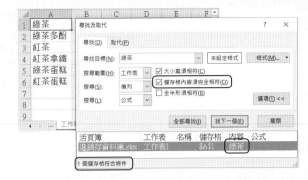

尋找「活頁簿」

預設的尋找範圍是選取儲存格所在的「工作表」，但是如果我們不能確定資料是在活頁簿中的哪一個工作表？不妨將搜尋範圍擴大成「活頁簿」，再從尋找的結果中找到想要的資料。

一樣先開啟「尋找及取代」對話方塊，按「選項」鈕增加尋找條件，按下「搜尋範圍」清單鈕選擇「活頁簿」，就會從活頁簿中尋找相關的關鍵字囉！

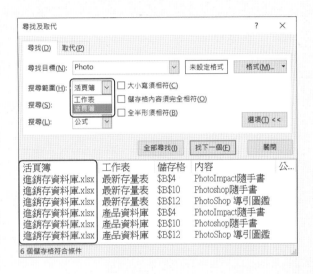

尋找「限定範圍」

當執行「尋找及取代」功能時，只要選取工作表中的任何「一個」儲存格，就會以該工作表作為搜尋範圍，上面也提到可以擴大到整個活頁簿。

但是有時候我們只想在某一欄中尋找特定資料，那麼可以限定搜尋範圍嗎？

當然可以，只要先選取要搜尋範圍的儲存格，執行「尋找及取代」功能，再依照關鍵字搜尋。

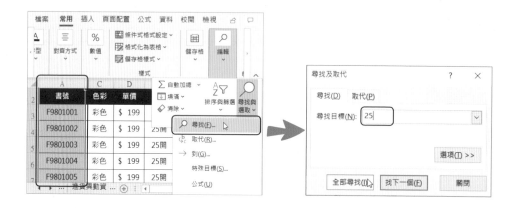

此時只會在選取的欄 A 範圍
搜尋，尋找的結果也只有欄
A 的儲存格，並不會顯示其
他欄位的資料。

🔵 尋找「公式的結果」

有時候我們在工作表中可以看到要搜尋的關鍵字，但是認真搜尋半天，卻得到
「我們找不到您要搜尋的資料，⋯」的警告訊息。這是怎麼一回事？？？

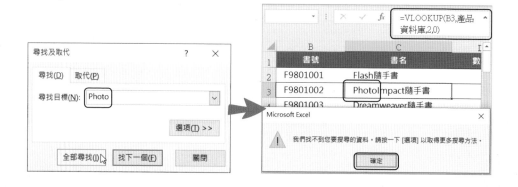

其實預設的搜尋是以「資料編輯列」的資料為主，也就是說只搜尋輸入的文字，至於經由公式計算出來顯示在儲存格中的「結果」，並不在搜尋項目中。

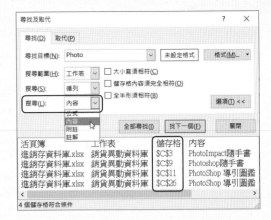

只要在按下「搜尋」清單鈕選擇「內容」，就可以尋找在儲存格中顯示的資料。

✅ 取代「目標」

「尋找」相對的功能就是「取代」，尋找的目的有時候就是要尋找錯誤，進而可以「取代」成正確的資料。

舉例來說，Excel 有些時候會輸入成全部大寫的 EXCEL，如果想要統一寫法，就可以利用「取代」功能，將 EXCEL 變更成 Excel。

首先在「常用 \ 編輯」功能區中，按下「尋找與選取」清單鈕，執行「取代」指令。開啟「尋找及取代」對話方塊，此時會自動跳到「取代」索引標籤，分別輸入想要尋找目標的關鍵字及要取代成的字詞，按下「全部取代」鈕。此時會出現提示訊息，說明已經有 3 個文字被取代。

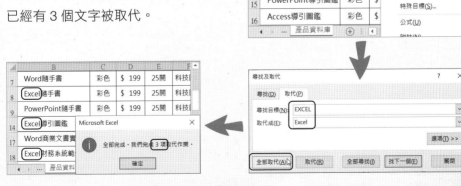

✔ 取代成空格

有時候會碰到想要刪除特定儲存格，可是逐一選取似乎太麻煩，此時不妨利用「取代」功能。怎麼使用呢？按下快速鍵【Ctrl】+【H】鍵，開啟「尋找及取代」對話方塊，在「取代」索引標籤，尋找目標輸入「刪我啊」，但取代成卻什麼都不輸入，按下「全部取代」鈕。此時所有「刪我啊」都消失不見，成為空白儲存格。

尋找和取代介紹了這麼多種細部功能，都是可以相互配合使用，例如可以在指定的範圍，找尋完全相符的關鍵字，取代成空白…之類的，不要忘了要活用喔！

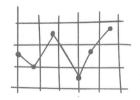

已定義之名稱

你有沒有見過資料編輯列上有一堆文字，居然可以計算出數值？「就是」+「白癡」+「我愛你」，居然會等於「94」+「87」+「520」三個數字相加？難道說 Excel 已經進化到只要輸入數字密碼，就能自動解開並加以計算？

其實 Excel 還沒 AI 智慧化，只是我使用了「定義名稱」這個功能，把儲存格取個名字，再來進行運算而已。這不是太麻煩了？一個儲存格還要取名字，直接把數字加加減減就好。

如果一個名稱可以代表 100 個儲存格，甚至 1 萬個儲存格，你還會嫌它太麻煩嗎？

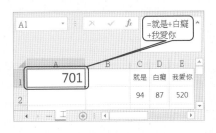

✔ 定義名稱

定義名稱的方法有很多種，最常用的方法就是切換到「公式」功能索引標籤，在「已定義之名稱」功能區中，執行「定義名稱」指令。

開啟「新名稱」對話方塊，輸入名稱「一生一世」、範圍選擇預設的「活頁簿」、參照到目前選取的「A1」儲存格，按下「確定」鈕即可。

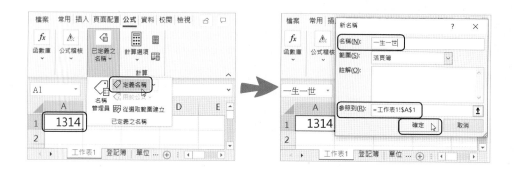

定義名稱有三個重要因素：名稱、儲存格位置及適用範圍。一般來說，定義名稱只能用在當下的活頁簿檔案，而且名稱不能為阿拉伯數字，但是可以參照到其他活頁簿的儲存格位置。

✅ 從範圍選取

遇到有規律的表格，要將所有標題列（欄）當作是範圍名稱，就不需要像上述方法慢慢定義。我們可以利用「從範圍選取」功能，一次定義很多個名稱。先選取帶有標題名稱的儲存格範圍，接著從「公式\已定義之名稱」功能區中，執行「從選取範圍建立」指令。

開啟「以選取範圍建立名稱」對話方塊，只要勾選「最右欄」作為名稱，按下「確定」鈕即可。

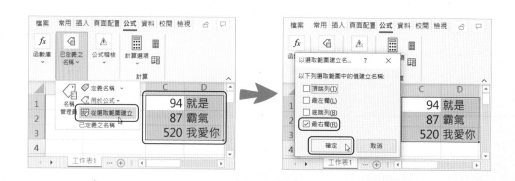

名稱管理員

「名稱管理員」顧名思義就是用來管理已定義名稱的地方。在這裡不但可以看到所有已經定義的範圍名稱外，還可以新增、編輯和刪除範圍名稱。

可以從「公式\已定義之名稱」功能區中，執行「名稱管理員」指令；或按快速鍵【Ctrl】+【F3】鍵，開啟「名稱管理員」對話方塊。按下「新增」鈕，即可另外開啟「新名稱」對話方塊，則可照一般定義名稱方式處理。

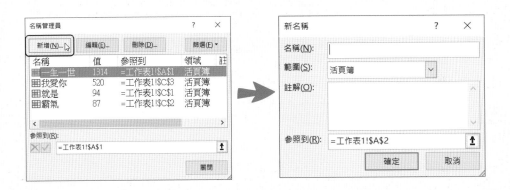

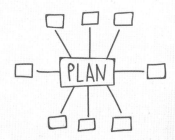

修改定義名稱

「人有失手、馬有亂蹄」有時候難免會參照到錯誤的儲存格，或是要增加參照範圍，這時候就需要「名稱管理員」出馬。

假設「一生一世」名稱不是要參照 1 個儲存格，而是要 2 個儲存格。按快速鍵【Ctrl】+【F3】鍵，開啟「名稱管理員」對話方塊，選擇名稱「一生一世」，按下參照到旁的 ⬆ 「展開」鈕；重新選擇參照範圍「A1:A2」，再按下 ⬇ 「摺疊」鈕；最後確認新的參照位置，按下 ☑ 「確認」鈕完成修改參照位置。

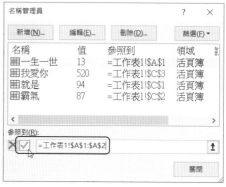

如果要修改「名稱」的話，就非得按下「編輯」鈕，另外開啟「編輯名稱」對話方塊才能修改名稱。

不過適用「範圍」卻無法修改，所以在新增時，就要考慮好要選擇「工作表」或是「活頁簿」，如果無法確定，當然是選擇大範圍的「活頁簿」，以免日後無法變更。

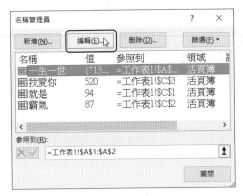

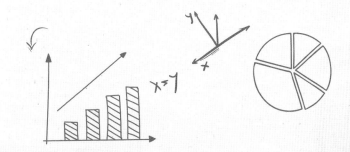

名稱位置查詢

除了從名稱管理員中找到名稱參照的儲存格位置，還有一個地方也可以查詢到，就是資料編輯列上的「名稱方塊」。

這裡本來就是顯示儲存格位置的地方，所以能在這裡查詢一點也不奇怪。使用方法超級簡單，只要按下名稱方塊旁邊的清單鈕，選擇想要知道的名稱，Excel就會自動選取該名稱參照的儲存格位置。

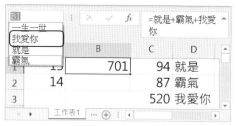
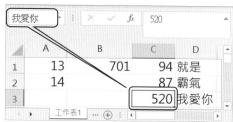

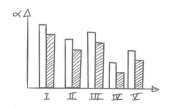

秘技 25.

使用已定義名稱

說了那麼多「定義」或「修改」範圍名稱，到底要怎麼用才能發揮它的真正功效？？大部分的時候會使用在函數中作為參照位置。要如何使用呢？可以用在哪裡呢？

✅ 用於公式

在「公式 \ 已定義之名稱」功能區中，有一個「用於公式」的指令，當我們定義好的範圍名稱，都可以在這個功能的清單鈕下找到，以方便我們加以利用。

假設要在 A3 儲存格計算 A1+A2 儲存格的值，我們可以在 A3 儲存格使用 SUM 函數，在函數引數中按下「用於公式」清單鈕，選擇「一生一世」名稱。

所以「=SUM(一生一世)」計算出來的結果會是「27」。

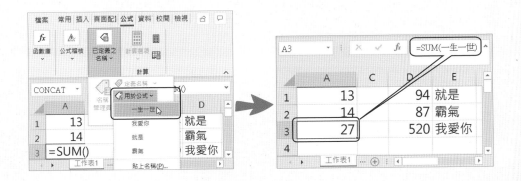

● 資料驗證清單

範圍名稱不僅可以用在公式中，也可以在「資料驗證」作為清單來源的參照位置範圍。

假設已定義「書名」為「B3:B25」儲存格範圍，在 B26 儲存格加入「資料驗證」清單項目，資料「來源」處可直接輸入「書名」或是執行「用於公式 \ 書名」指令。設定完成後，B26 儲存格就會出現書名清單。

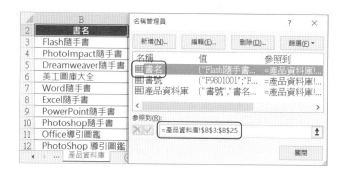

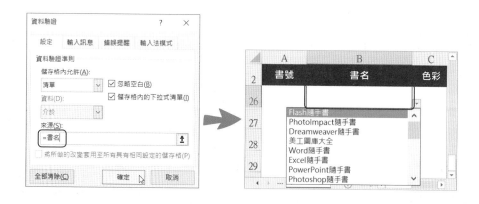

快速定義名稱

定義名稱的方法不是上面都講完了嗎？這個標題下的有點奇怪喔？其實還有一個地方也可以快速定義範圍名稱。什麼？？就是也有提過的「名稱方塊」。

「名稱方塊」不僅可以查詢名稱參照的儲存格位置，也可以從這裡建立。只要先選取要參照的儲存格範圍「B1:B4」，直接在「名稱方塊」上輸入新名稱「嘻嘻」，按下鍵盤【Enter】鍵即可。

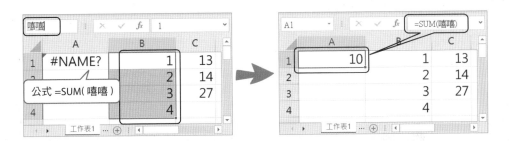

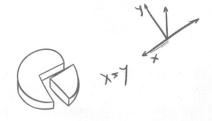

定義變數

健保局近年來都持續調整健保費率,每次調整費率參照表就要更動一次,實在很麻煩,如果我們將表格內公式,使用定義名稱的話就變得容易多了。

只是還要安排輸入費率的儲存格,看起來不太美觀,有沒有更專業的做法??哈哈 ~~ 當然有,只要直接參照數值就行。

假設原本「目前費率」名稱是參照「J1」儲存格,按快速鍵【Ctrl】+【F3】鍵,開啟「名稱管理員」對話方塊,選擇「目前費率」名稱,直接在參照位置中改輸入數值「0.021」,按下「確認」鈕後,回到工作表即使原本參照位置資料刪除,還是一樣可以計算出補充保費。

如此一來,我們就不用另外替這些費率安排輸入的儲存格,日後如果費率變更,只要再進入「名稱管理員」中修改數值即可。

祕技 28.

公式稽核

公式稽核這個功能會使用的人不多，它最主要是用來了解儲存格和公式之間的關係，一般人都是自己設定公式自己用，所以公式參照到哪一個儲存格都非常清楚，但是公務體系下工作時常要輪調，雖說蕭規曹隨，對於接手新工作時，了解清楚工作範圍的來龍去脈，也是十分重要。

✅ 前導參照

如果看到某一儲存格公式中，含有很多其他參照的儲存格，為了要了解哪些儲存格被利用到，不妨切換到「公式」索引標籤中，在「公式稽核」功能區中，執行「追蹤前導參照」指令。此時就會知道，這個儲存格參照哪幾個儲存格的資料。

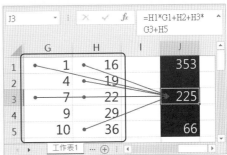

✓ 從屬參照

反之，如果我們想知道這個儲存格被哪些儲存格參照，就要執行「追蹤從屬參照」指令。瞧！原來 G5 儲存格被 J1 和 J5 儲存格利用。

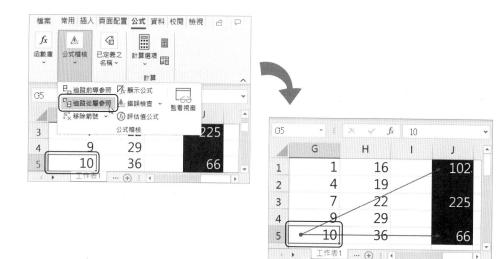

✓ 移除箭號

當工作表被太多從屬或前導箭號所淹沒時，勢必要好好的清理一番，此時只要執行「移除箭號」指令即可清除所有的箭號。

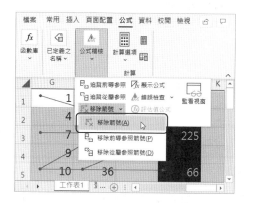

顯示公式

想知道工作表中有哪些儲存格背後隱藏的是公式，又不想大海撈針的猜猜看，這時候就要利用「公式 \ 公式稽核」功能區中的「顯示公式」指令，讓所有包含公式的儲存格無所遁形。

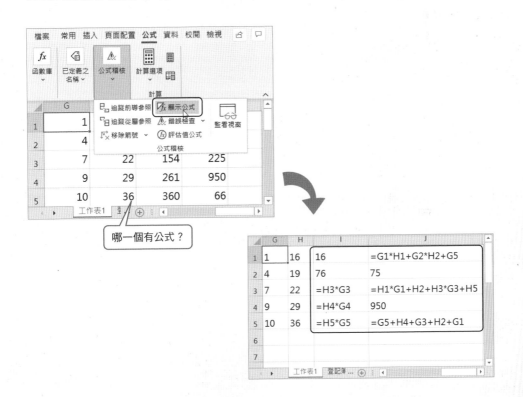

哪一個有公式？

快速輸入今天日期

很多工作報表完成後,都會習慣要「押日期」,通常我們會直接輸入當天的日期。雖然直接輸入日期很方便,但是有一個更方便的快速鍵要告訴大家,就是【Ctrl】+【;】。只要按下快速鍵,儲存格中就會立即顯示今天的日期。

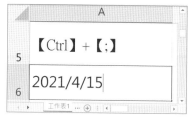

雖然有函數 TODAY() 或 NOW(),也可以快速輸入當天日期,但是這兩個函數會隨著電腦時間而更動,也就是如果輸入當天是 1 月 1 日,但隔天開啟檔案時,就會顯示 1 月 2 日,並不適合用來「押日期」。

快速輸入現在時間

有沒有需要這麼嚴格？除了「押日期」外，還要「押時間」？好吧！既然長官都這樣規定，我們只好照辦。還是要傻傻的人工輸入嗎？當然利用快速鍵就好了！只要按下【Ctrl】+【Shift】+【;】鍵，就可以立刻輸入當下的時間囉！

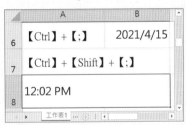

	A	B
6	【Ctrl】+【;】	2021/4/15
7	【Ctrl】+【Shift】+【;】	
8	12:02 PM	

不過快速輸入日期和時間都是擷取電腦目前的系統日期和時間，所以必須是在電腦系統時間正確的情況下才能正常使用，而且輸入法要選擇 **ENG** 英文輸入法，而不是 **英ㄅ** 中文輸入法的英文模式。

自動更新日期與時間

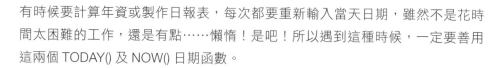

有時候要計算年資或製作日報表，每次都要重新輸入當天日期，雖然不是花時間太困難的工作，還是有點……懶惰！是吧！所以遇到這種時候，一定要善用這兩個 TODAY() 及 NOW() 日期函數。

TODAY() 可以自動顯示電腦系統當天的日期，而且在下次開啟檔案的時候，依據當天的日期自動更新。而 NOW() 則是會順便顯示當下的時間。

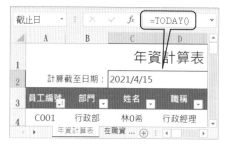

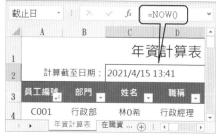

常用日期函數

既然講到日期，就順便介紹幾個常用的日期函數。經常我們在輸入員工生日時，都是直接輸入「年 / 月 / 日」在同一個儲存格中，如果想知道單獨的年、月或日就可以利用下列幾個日期函數。

✅ YEAR 函數

語法：YEAR(serial_number)

單看字面意思就是「年」，沒錯！如果只要使用某個日期中的年份，就要使用 YEAR 函數。例如要知道出生年份只要輸入「=YEAR(E3)」，就能得到「2008」。

	M3	▼	× ✓ fx	=YEAR(E3)	
	B	E		N
2	姓名	出生日期	年	月
3	潘O宇	2008/7/11	2008	
4	胡O碩	2005/1/20	2005	

基本資料 ⊕

✅ MONTH 函數

語法：MONTH(serial_number)

單看字面意思就是「月」，使用方法和 YEAR() 相同。在 MONTH 函數引數中參照日期儲存格即可。

	N3	▼	× ✓ fx	=MONTH(E3)	
	E	M	N	O
2	出生日期	年	月	日
3	2008/7/11	2008	7	
4	2005/1/20	2005	1	

基本資料 ⊕

✅ DAY 函數

語法：DAY(serial_number)

DAY 函數就是傳回「日」，使用方法和 YEAR() 和 MONTH() 相同。讀者可以嚴重懷疑介紹這個函數是拿來充頁數的，無誤！

✅ DATE 函數

語法：DATE(year,month,day)

我們可以把一個完整的日期，分別拆成年、月、日，當然 Excel 也提供一個可以將年、月、日合併成一個日期的函數，那就是 DATE 函數，所謂「合久必分、分久必合」這個道理中外古今亦然。

當然你也可以直接在函數引數中輸入數字，也能拼湊成一個完整的日期。

常用計算函數

Excel 把常用的計算函數，如：加總、平均值…等，從原來的函數類別中「抓」了出來，另外組成一個新團體「自動加總」圖示清單鈕，分別安插在「常用」和「公式」功能索引標籤項下，讓使用者可以快速取用。

✅ SUM 函數

語法：SUM(number1,[number2],….)
說明：就是加總函數，可以加總指定儲存格範圍內的所有數值。

SUM() 就是「自動加總」這個團體中的團長，更是唯一屬於「數學及三角函數」類別的函數，是最常用的計算函數。只要在 SUM 函數引數中，選取要加總的儲存格範圍，若是不連續的儲存格則使用「,」區隔即可。

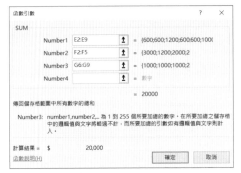

✅ AVERAGE 函數

語法：AVERAGE(number1,[number2],….)
説明：就是平均值函數，可以算出指定儲存格範圍內的所有數值的平均值。

AVERAGE() 是屬於「統計」類別的函數，使用方法和 SUM 函數相同。

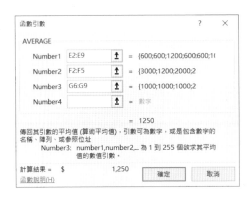

✅ COUNT 函數

語法：COUNT(value1,[value],….)
説明：就是計數函數，用來計算選取範圍中含有「數值」的儲存格數量。

COUNT() 也是屬於「統計」類別的函數，使用方法和上述函數相同，可以利用「,」來區隔不連續儲存格範圍，作為函數引數。

與其說「計算」還不如用「統計」來的恰當，因此不論儲存格中顯示的數值是多少，都是用「1」來統計儲存格數量。

所以在下圖 E2:G9 儲存格範圍中，「=COUNT(E2:G9)」得到的結果是「16」。

	A	E	F	G	H	J
1	姓名	滿月禮金	結婚禮金	退休禮金		
2	林O蓁	$ 600	$ 3,000			參加總
3	潘O宇	$ 600	$ 1,200			人數
4	林O儀	$ 1,200	$ 2,000			
5	林O辰	$ 600	$ 2,600			16
6	顏O涵	$ 1,000		$ 1,000		
7	王O晴	$ 600		$ 1,000		
8	施O尹	$ 600		$ 1,000		
9	胡O碩	$ 1,000		$ 2,000		

公式列：=COUNT(E2:G9)　　儲存格：J4

如果要計算指定範圍中，除了空白儲存格以外的含有文字及數值的儲存格數量，就要使用 COUNTA 函數；若只要計算空白儲存格的數量，就要使用 COUNTBLANK 函數。

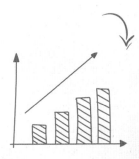

手動計算

咦！這是怎麼一回事，明明有設公式，也有輸入數值，為什麼計算的結果好像出現在農曆七月份？

哈哈 ~~ 這才不是七月份才會出現的「舊」檔案。由於活頁簿檔案中含有許多公式，Excel 在預設的情況之下，會不停的自動重算，過程中會

不斷的消耗電腦資源，在「古早年代」規格運算速度較差的電腦，常常會導致電腦變成烏龜，甚至變成化石，所以才設計「手動計算」這項功能，讓 Excel 不要自動重算。

當資料輸入完畢後，只要切換到「公式」功能索引標籤，在「計算」功能區中，按下 圖「立即計算」鈕，或按下鍵盤【F9】快速鍵，就可以重新計算成正確的答案。

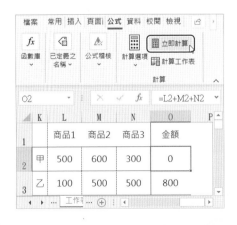

但是現在電腦的效能都越來越強，為了避免粗心的人忘記手動計算，造成無法收拾的「杯具」，還是趁早改回預設的「自動重算」模式，才是上策。

同樣在「公式 \ 計算」功能區中，按下「計算選項」清單鈕，重新選擇「自動」選項即可。

相關的設定也可以在「Excel 選項」中找到喔！

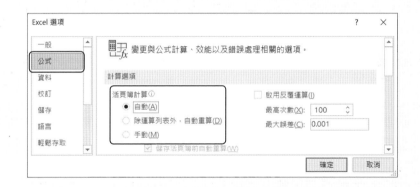

套用儲存格樣式

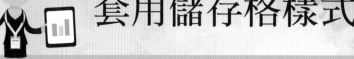

對於某一些儲存格想要來點不一樣的色彩，除了透過「儲存格格式」慢慢設定外，Excel 還提供一些預設的儲存格樣式，讓沒有色彩觀念的使用者可以快速套用。

使用的方法就是先選取想要改變的儲存格範圍，在「常用 \ 樣式」功能區中，按下「儲存格樣式」清單鈕，選擇想要套用的樣式即可。

自訂儲存格樣式

有些已經設計好的儲存格格式想要繼續沿用，但是不知道之前到底修改過哪些格式，這時候除了使用「複製格式」功能外，還可以利用「新增儲存格樣式」功能，將格式新增到樣式庫中，方便以後隨時召喚。

先選取儲存格，在「常用\樣式」功能區中，按下「儲存格樣式」清單鈕，選擇執行「新增儲存格樣式」指令。

另外開啟「樣式」對話方塊，在樣式名稱中輸入自訂名稱「自訂A」，其他使用預設選項，按下「確定」鈕。

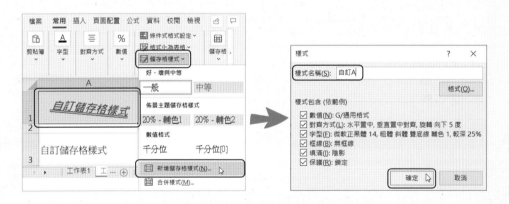

下次若要使用該樣式，只要再次按下「儲存格樣式」清單鈕，就會在自訂樣式分類中看到，直接選取自訂「文書組」樣式即可。

祕技 38.

格式化表格

對於剛製作好的工作表內容，你可以有更快速的方法替工作表增加一些色彩或框線，就是使用「格式化為表格」功能，只是這項功能有些副作用，就是可以直接替表格定義範圍名稱、進行篩選或排序，這些副作用是不是方便的太令人討厭了？

建立格式化表格

建立格式化為表格的方法樣式很簡單，只要先選取表格範圍，在「常用 \ 樣式」功能區中，按下「格式化為表格」清單鈕，選擇喜歡的表格樣式。另外開啟「格式化為表格」對話方塊，若表格有標題列，切記要勾選「我的表格有標題」選項，按下「確定」鈕即可。

表格套用指定樣式，當選取表格範圍內的儲存格時，則會另外出現「表格設計」功能索引標籤。標題列會出現可供篩選的下拉式篩選鈕。

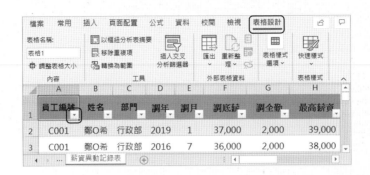

✓ 定義範圍名稱

相信大家都知道範圍名稱可以應用在許多地方，經過「格式化為表格」的儲存格範圍，就可以輕易的定義範圍名稱。

切換到「表格設計」功能索引標籤，在「內容」功能區中，反白選取預設的表格名稱。

輸入新的表格名稱，就完成定義範圍名稱的工作。

什麼！就這樣？沒錯！就是這麼簡單。不信的話，隨便輸入一個公式驗證一下，真的可以參照出正確的資訊。

使用這個方法定義的範圍名稱，會隨著表格的範圍增加而自動更新，十分省時便利；當格式化為表格轉換成一般表格時，雖然範圍名稱就會自動消失，但是 Excel 會很貼心的轉換成一般儲存格範圍，使用者不必太過擔心。

✅ 轉換為一般儲存格

如果只想單純套用表格樣式，而不需要其他附加功能，可以套用後，立刻轉換回一般儲存格範圍，一樣切換到「表格設計」功能索引標籤，在「工具」功能區中，執行「轉換為範圍」指令。

Excel 會另外開啟詢問的對話方塊，按下「是」鈕，確定將格式化表格轉換成一般表格。

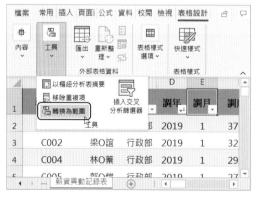

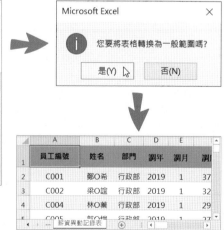

設定格式化條件

老闆突然需要部門員工的年資表，並且要標註年資超過 10 年以上的員工，還有特休天數超過 20 天的也要特別標示。這根本是沒事找事做，雖然也可以使用篩選或排序的方法特別挑選出來，但是遇到表格有公式的時候，常常會出現參照位置錯誤，根本幫不上忙。

這時候不妨試試「設定格式化的條件」這項功能，使用者只要設定好條件及格式，當選取範圍的儲存格符合條件的話，就會以設定的格式顯示。

✅ 新增格式化條件規則

首先選取要設定格式化條件的儲存格範圍，切換到「常用」功能索引標籤，在「樣式」功能區中，按下「條件式格式設定」清單鈕，執行「新增規則」指令。

另外開啟「新增格式化規則」視窗，根據需要的條件選擇「只格式化包含下列的儲存格」規則類型，輸入條件「儲存格值；大於或等於；10」，按下「格式」鈕。

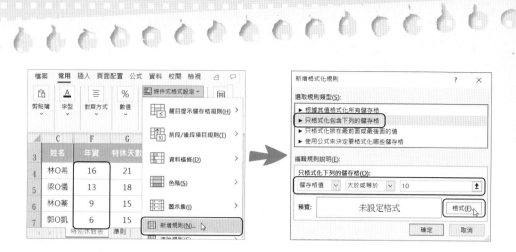

又開啟「設定儲存格格式」對話方塊，設定當條件符合時要顯示的格式，先切換到「填滿」索引標籤，選擇「白色，背景色，15%」色彩，按下「確定」鈕。

回到「新增格式化規則」視窗，確認所有格式化條件，按下「確定」鈕。

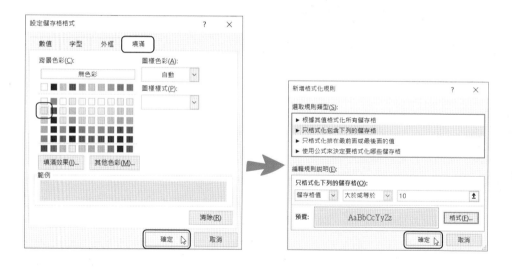

所以年資 10 年以上的儲存格，就會自動填滿儲存格色彩。最後再依條件設定特休天數的格式化條件，就完成老闆交代的工作。

⊘ 編修格式化條件規則

如果所有的活頁簿都是自己建立的，對於已經設定什麼東西都十分清楚；但是若是延續前輩的工作，就必須知道如何編修這類的活頁簿。假設老闆要標註特休不到 15 天的員工，年資不需要特別註記。

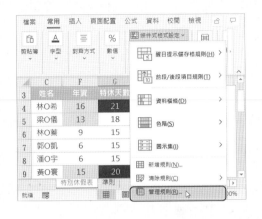

先在「常用 \ 樣式」功能區中，按下按下「條件式格式設定」清單鈕，執行「管理規則」指令。

開啟「設定格式化的條件規則管理員」對話方塊，首先在「顯示格式化規則」的清單項目中選擇「這個工作表」。然後選擇「年資 >=10」的規則，也就是第 2 個條件規則，按下「刪除規則」鈕。

選擇剩下的「特休天數 >=20」的規則，按下「編輯規則」鈕。

另外開啟「編輯格式化規則」對話方塊，直接修改條件「儲存格值；小於或等於；15」，按下「確定」鈕回到「設定格式化的條件規則管理員」對話方塊。再按下「確定」鈕回到工作表完成修改格式化條件。

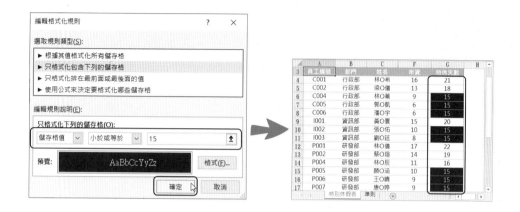

清除格式化條件規則

清除規則可以分成整個工作表的格式化規則都刪除，還是只是刪除特定的規則。如果要刪除全部的規則，就直接執行「清除整張工作表的規則」指令即可；如果要刪除特定規則，就要先選取該規則所在的儲存格，再執行「清除選取儲存格的規則」指令即可。

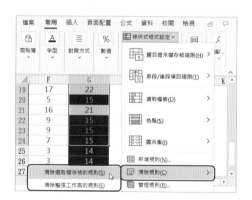

自訂快速存取工具列

新版的 Office 最令人詬病的就是將預覽列印（列印）這麼重要的功能，放在「檔案」的功能頁面中，而不是像在功能區中這般方便。不過還是有補救的辦法，就自行將它加到快速存取工具列。

只要按下「快速存取工具列」上的清單鈕，勾選「預覽列印及列印」功能即可。

快速存取工具列新增「預覽列印及列印」功能圖示鈕，按下該功能鈕後，就會立刻切換到「檔案」功能頁面中的「列印」功能標籤，省下一個步驟。

自訂功能區

自訂功能區的概念和自訂快速存取工具列相同，可以將常用或是沒有在工具列上顯示的功能放在指定的工具列上。

只要將游標移到功能區範圍內，按滑鼠右鍵開啟快顯功能表，執行「自訂功能區」指令，就可以開啟「Excel 選項」中的「自訂功能區」功能頁面。

✅ 新增功能標籤

使用者可以將自訂的功能加到任何一個功能標籤中，但是我的習慣是自訂一個完全屬於自己的，才不和預設的功能混在一起。首先進入「自訂功能區」設定頁面，按下「新增索引標籤」鈕。

主要索引標籤中增加了「新增索引標籤」的功能標籤和群組功能區。

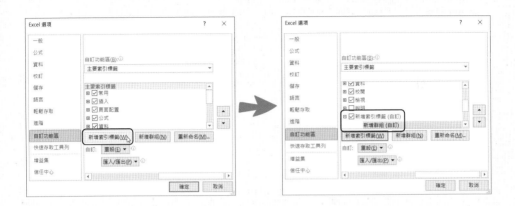

回到工作視窗中，也同步新增了「新增索引標籤」的功能索引標籤，但因為還沒加入自訂功能，因此功能區中仍是空白。

✅ 重新命名索引標籤

先還不急著加入功能按鈕，我們一步一步來，把功能標籤名稱和群組名稱改成喜歡的再說。

繼續在「自訂功能區」設定頁面，選擇剛新增的功能標籤，按下「重新命名」鈕。另外開啟「重新命名」對話方塊，輸入新的名稱後，按下「確定」鈕即可。

群組名稱也可以比照重新命名。

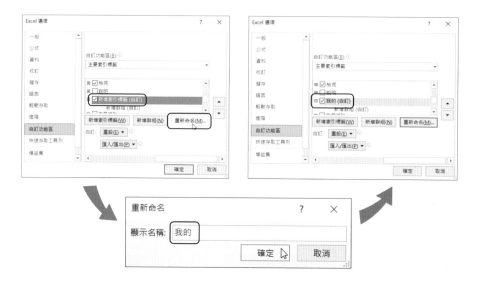

加入自訂功能

重頭戲來了就是加入自己想要的功能在新的標籤索引，這功能可以是常用的，也可以是從來沒在功能區中出現的。

首先選取剛剛在「自訂功能區」新增的功能標籤下的群組，接著在「由此選擇命令」處選擇要加入的功能，按下「新增」鈕。

選擇的功能就會跑到右邊的群組項下。依此方法選擇需要的功能到群組中。最後按下「確定」鈕即可。

回到工作視窗，新增的功能標籤出現選擇的功能，使用者也可以在新增群組在同一個功能標籤中。

✅ 刪除所有自訂功能

自訂功能索引標籤是設定在個人的電腦系統中，並不會因為活頁簿的轉移，而讓其他使用者發現，所以可以恣意的亂取名稱。但是當職務變動必須將電腦轉移給其他使用者時，這時候就要記得趕快刪除。

一樣到「自訂功能區」設定頁面下，按下「重設」清單鈕，選擇執行「重設所有自訂」指令。

此時會出現確認對話方塊，毫不猶豫的按下「是」鈕，就可以萬事 OK 了！

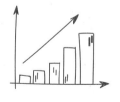

螢幕擷取畫面

筆者覺得 Excel 這項功能實在沒什麼太大的用處，基本上 Excel 是試算表軟體，大多數時間都是用來做為計算、統計、分析之用，很少用來文件編輯做為文書處理使用，「螢幕擷取畫面」這項功能似乎英雄無用武之地，不過這是 Office 的通用功能，那麼稍微了解一下吧！

✅ 擷取整個視窗

假設在 Windows 視窗中同時開啟兩個 Excel 活頁簿檔案，想要在活頁簿 1 加入活頁簿 2 的統計圖，你可以先將活頁簿 2 的視窗調整成和圖形大小相仿，在活頁簿 1 切換到「插入」功能索引標籤，在「圖例」功能區中，按下「螢幕擷取畫面」清單鈕，此時會顯示可擷取畫面的視窗縮圖，直接按下活頁簿 2 的視窗縮圖。

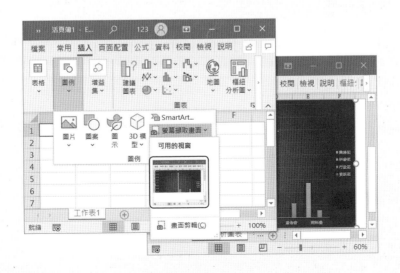

活頁簿 1 中插入整個活頁簿 2 的視窗圖，使用者可以利用「圖片格式」功能索引標籤來編修圖片。

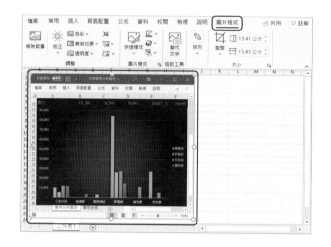

「螢幕擷取畫面」功能可擷取的視窗不限定是 Excel 活頁簿，其他 Office 檔案、IE 網頁、其他美工軟體…等，只要同時在 Windows 視窗中執行的軟體都可以是擷取的目標。

◎ 部份畫面剪輯

擷取整個視窗畫面後續還要使用「圖片工具」來作編修，似乎有一些麻煩！Excel 還提供「畫面剪輯」的功能，讓使用者可以只擷取部分視窗畫面，省去後續剪裁的麻煩。

在「插入 \ 圖例」功能區中，按下「螢幕擷取畫面」清單鈕，執行「畫面剪輯」指令。趁著畫面尚未變白之前，切換到要擷取畫面的視窗，當螢幕變白後，游標會變成 ✚ 形狀。

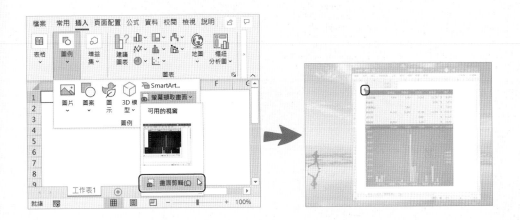

按滑鼠左鍵使用拖曳的方式，選取要擷取的範圍，放開滑鼠左鍵即完成。

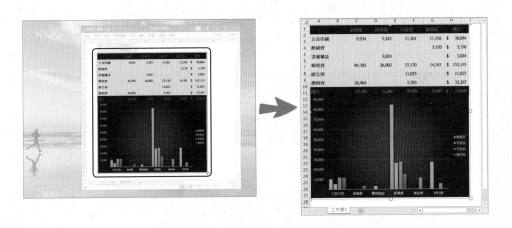

祕技 43. 複製成圖片

「螢幕擷取畫面」功能比較像專業的截圖軟體，可以擷取視窗上任何軟體的畫面變成圖片，其實 Excel 還有一個很傳統的功能，就是「複製成圖片」功能，可以將儲存格範圍複製成圖片，方便使用者將複製的儲存格，貼在與原始儲存格範圍完全不同的格式上，還能保持美觀。

先選取要變成圖片的儲存格範圍，在「常用\剪貼簿」功能區中，按下「複製」清單鈕，執行「複製成圖片」指令。

另外開啟「複製圖片」對話方塊，使用預設值不作變動，按下「確定」鈕。

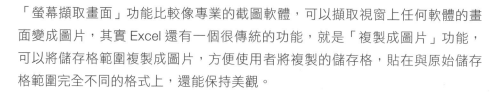

執行「貼上」指令，將圖片貼在一個新的工作表試試看，原始的儲存格範圍可以藉著圖片形式，完整的呈現在新的工作表中。

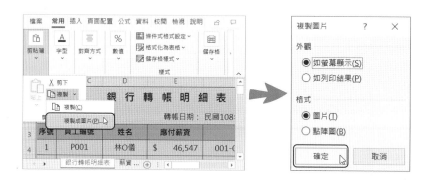

隱藏版攝影功能

舊版的 Excel 有一項功能叫做「攝影」，也是類似「複製成圖片」功能，但是除了把選取範圍變成圖片之外，它還可以連結原有儲存格範圍，當表格內容有所變動，圖片內容也會跟著變動，是不是很令人振奮呢？

首先利用「自訂功能區」功能，將「攝影」功能從「不在功能區的命令」中，加到自訂的功能區中。

先選取儲存格範圍，執行「攝影」指令。此時游標會變成 ＋ 形狀，按一下滑鼠左鍵，神奇的事情即將發生。

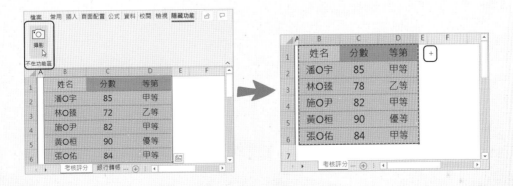

選取的儲存格範圍變成圖片，注意看資料編輯列上，圖片居然有參照的儲存格範圍，這麼剛好就是選取的範圍。

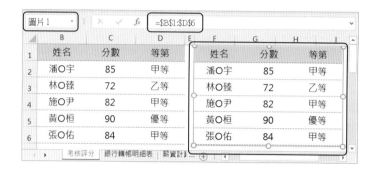

試試看！修改一下原始儲存格中的數值。我的老天鵝啊！！圖片對應的位置，數值也跟著改變了。

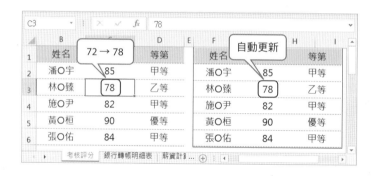

不過這項功能也是有使用限制，就是只能用在同一個工作表中，跨工作表或活頁簿還是會出現問題，真是有一好沒兩好。

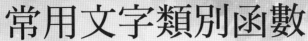

常用文字類別函數

使用函數可以幫 Excel 加分不少，節省不少時間，文字類別函數可以讓一整串文字，說分就分、說合就合，就像變魔術一樣精彩。

RIGHT 函數

語法：RIGHT(text,[num_chars])

說明：在長字串中，從最右邊開始，傳回指定字元長度的字串。

舉例來說，為了個資問題，公開的員工資料中，身分證字號只顯示末 3 碼。

公式 =RIGHT(所在儲存格 , 指定字元數)

=RIGHT(C3,3)

	B	C	D
			=RIGHT(C3,3)
2	姓名	身分證字號	後3碼
3	林O希	Q220**340	340
4	梁O儀	A120**232	232
5	何O儒	B120**892	892

基本資料

LEFT 函數

語法：LEFT(text,[num_chars])

說明：在長字串中，從最左邊開始，傳回指定長度的字串。

舉例來說，我們要將聯絡地址中的縣市獨立出來，以便後續查詢。因此要從地址最左邊開始，3 個字剛好是縣市名稱。

公式 =LEFT(所在儲存格 , 指定字元數)

=LEFT(J3,3)

	J	K	L
			=LEFT(J3,3)
2	聯絡地址	居住縣市	區
3	高雄市岡山區健鷹南路	高雄市	(0
4	高雄市鳳山區中山西路	高雄市	(0
5	高雄市前鎮區台鋁三巷	高雄市	(0

基本資料

✅ MID 函數

語法：MID(text,start_num,num_chars)
說明：在長字串中，從指定字元數開始，傳回指定字元長度的字串。

舉例來說，聯絡地址中的縣市後方通常都是鄉鎮區名稱，如果我們要將鄉鎮區名稱獨立出來，此時就要從地址第 4 個開始傳回 3 個字元長度的字串。(如果是太麻里鄉，就要傳回 4 個字元)

公式 =MID(所在儲存格 , 從第幾個字元起 , 指定字元數)=MID(J3,4,3)

✅ CONCATENATE 函數

語法：CONCATENATE(text1,[text2],...)
說明：可以將多個字串合併成一個字串。
注意：部分 Excel 版本可用 CONCAT 函數代替。

以下圖為例，我們可以利用 CONCATENATE 函數製作出 Word 合併列印的效果，再利用 Outlook 逐一傳送到個人的電子信箱，作員工基本資料的年度核對工作，省事又環保。

公式 = CONCATENATE(儲存格或文字 1, 儲存格或文字 2,.....)

= CONCATENATE
(嗨！,B3," 你的聯絡電話是 ",N3," ～ 請核對！ ")

隱藏部分銀行帳號

現在有個資法保護，對於公開在外的個人資料都要非常小心，不可以有半點疏失。我們常見信用卡會以「＊」取代部分號碼，那麼員工的銀行帳號是否也可以比照辦理？？

當然可以，Excel 也提供相關的函數協助。

> 語法：REPLACE(old_text,start_num,num_chars,new_text)
> 說明：取代字串中指定位置的字元數，替換成其他字元。

公式 = REPLACE(舊字串儲存格位置 , 從第幾個字元 , 要替換幾個字元 , 新的替換文字)

　　 = REPLACE(F4,9,3,"***")

G4			f_x	=REPLACE(F4,9,3,"***")	
	D		F		G
3	姓名		銀行帳號		隱藏部分帳號
4	林O儀		001-001-056021-0		001-001-***021-0
5	蔡O軒		001-001-071023-2		001-001-***023-2
6	林O辰		001-001-000028-2		001-001-***028-2

如果不是要怎樣

IF 函數是 Excel 中最熱門的函數之一，IF 可以幫我們判斷條件的結果，進而進行下一個步驟，如果沒有 IF 這個函數，很多公式就無法順利執行。

> 語法：IF(logical_test,value_is_true,value_is_false)
> 說明：如果測試條件是真的，就執行 true 這個項目；如果不是，就執行其他 false 項目。

最簡單的範例就是如果貨品是應稅品，就要加計 5% 的營業稅，如果屬於免稅品就不用加計營業稅。

公式 = IF(測試條件 , 真的要怎麼做 , 假的要怎麼做)

= IF(A2=" 是 ",B2*0.05,0)，換句話說 =IF(A2=" 否 ",0,B2*0.05) 也是可以成立。

有時候我們會將公式先複製到下方空白的儲存格備用，但是因為沒有條件數值，就會出現錯誤，不是很美觀。這時就可以利用 IF 函數測試儲存格是否為空白，如果是空白，就繼續顯示空白；如果條件儲存格有數值，就依照指定公式計算出結果。

誰是 007

在電腦的世界中，給予獨一無二的識別碼，是資料庫管理非常重要的一件事，我們也會幫所有的員工編號，方便員工資料管理，但是 007 到底是誰？

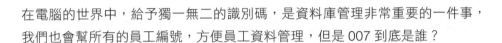

語法：VLOOKUP(lookup_value,table_array,col_index_num,range_lookup)

說明：根據查閱值，從特定的儲存格範圍中，找到與條件符合的值，並傳回指定欄位的對應值。符合的程度以 0/FALSE（完全相符）或 1/TRUE（大致相符）

這時候就要使用 VLOOKUP 函數幫我們從員工資料庫中，找到員工編號 007 的員工姓名。

公式 = VLOOKUP(想要查的儲存格 , 搜尋的儲存格範圍 , 指定欄號 , 符合的程度)

　　　= VLOOKUP(員工編號 007, 員工資料範圍 , 第 2 欄的姓名 , 完全符合)

　　　= VLOOKUP(I5,F1:G18,2,0)

J5		=VLOOKUP(I5,F1:G18,2,0)

員工編號	姓名		員工查詢	
			員工編號	姓名
001	林○儀			
002	蔡○軒			
003	林○辰			
004	顏○涵		007	林○勻
005	王○晴			
006	康○甄			
007	林○勻			

要特別注意的是查閱值必須在資料範圍的首欄。以這個範例來說員工編號就一定要在員工資料庫中的第 1 欄，找到 007 的值，傳回同列第 2 欄的姓名。

與 VLOOKUP 是雙胞胎的是 HLOOKUP 函數，使用方法相同，但因為資料庫的排列方式不同，必須選擇其中一個。

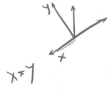

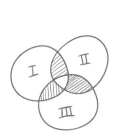

幾個人要出席

統計出席會議的人數，方便準備相關會議資料的份數，當然還有與會人員的飲料、點心的數量，善盡主人的責任。

語法：COUNTIF(range,criteria)
說明：用來計算符合條件的儲存格數目

我們從出席意願調查表中找到出席意願為「是」的人數。

公式 = COUNTIF(儲存格範圍 , 條件)
　　 = COUNTIF(D2:D18," 是 ")

如果我們想知道各處室出席人數分別有幾人？這時候就要派出另一個同門兄弟 COUNTIFS 函數，多了一個「S」，代表可以設定更多條件。

當條件有 2 個以上的時候，就是統計所有條件的集合數量。

公式 = COUNTIF(儲存格範圍 1, 條件 1, 儲存格範圍 2, 條件 2)
　　 = COUNTIFS($C$2:$C$18,F3,$D$2:$D$18," 是 ")

有買的請付錢

辦公室中難免會大家一起團購的好康事情,但是每次遇到算錢、收錢這檔事,總是覺得超級麻煩,還好總是有熱心的同事會處理這些事務,下次試試用 Excel 幫忙,你也可以成為熱心的好同事。

> 語法:SUMIF(range,criteria,[sum_range])
> 說明:加總一個範圍內符合指定準則的值

COUNTIF 函數可以根據條件計算數量,SUMIF 函數可以根據條件計算金額,不同的表格排列方式,則要選用不同的函數。舉例來說,不同的中秋禮盒調查表彙整後,要計算每個同事該付多少錢?這時候就要出動 SUMIF 函數。

公式 = (條件儲存格範圍 , 條件儲存格 , 加總儲存格範圍)
    = (姓名儲存格範圍 , 某位同事姓名 , 加總對應金額的儲存格範圍)
    = SUMIF($C$2:$C$9,F2,$D$2:$D$9)

	物品名稱	姓名	金額		個人應付金額	
	綜合月餅	王○晴	560		王○晴	$ 1,210
		施○尹	560		施○尹	$ 960
		郭○愷	560		郭○愷	$ 560
	蛋黃酥	王○晴	650		劉○廷	$ 650
		蔡○軒	650		蔡○軒	$ 650
		劉○廷	650		鄭○希	$ 400
	鳳梨酥	施○尹	400		合計	$ 4,430
		鄭○希	400			

G2 ‑ =SUMIF($C$2:$C$9,F2,$D$2:$D$9)
購買統計表 出席統計表

SUMIF 函數也有支援多個條件加總的姊妹函數 SUMIFS 函數,加了 S 效果就不一樣喔!有興趣的可以研究一下。

叫我第一名

競賽項目報名順序往往和得獎名次沒有相關，計算完得分後，要在茫茫數字中找到第一名，有時候不是一件容易的事，你可以使用分數排序方式找到第 1 名，當然也可以利用 RANK.EQ 函數來幫忙。

> 語法：RANK.EQ(number,ref,[order])
> 說明：傳回數字在指定數列中的等級。排序方式 0 或省略為遞增，1 為遞減。
> 注意：舊版 Excel 可用 RANK 函數替代。

使用 RANK.EQ 函數有一個好處，就是重複的數字會給相同的排名，後續的排名則會自動往後移。

公式 = RANK.EQ(要排名的儲存格 , 比較的儲存格範圍 , 排序方式)
　　 = RANK.EQ(C2,$C$2:$C$11,0)

如果競賽是採扣分制，扣的分數越多名次越後面，函數引數的排序方式就要使用「1」。

今年是幾週年

老公最怕老婆問今年結婚幾週年？但是也有越來越多的老婆，工作和家庭兩頭忙，自己也會忘記。只是大部分的公務員，一定不會忘記自己的年資，畢竟有關特別休假，想忘記也很難。

語法：YEARFRAC(start_date,end_date,[basis])
說明：計算兩個日期間的完整天數占一年中的比例。

計算兩個日期間的天數本來應該使用 DAYS 函數，但是這只是計算「天數」，我們還要將天數轉換成「年」，實在麻煩！

但是 YEARFRAC 函數，結合了 2 個步驟，直接計算間隔天數並轉換成「年」的比例，雖然會有小數點位數，但是就當「眼睛業障重」，自動忽略小數點後面位數就好。

公式 = YEARFRAC(開始日期 , 結束日期 , 日計數基礎類型)
　　　= YEARFRAC(B3,$B$1,1)

C3		fx	=YEARFRAC(B3,$B$1,1)	
	A		B	C
1	今天日期		110年4月20日 星期二	
2	項目		開始日	年資
3	結婚紀念日		95年5月20日	14.91855
4	到職日		89年9月28日	20.55724

工作表2

日計數基礎類型列表如下，使用者可參考使用。如果看不慣有小數點，也可以搭配 INT 函數，無條件捨去小數點位數。

代碼	日計數基礎
0 或省略	US (NASD) 30/360
1	實際值/實際值
2	實際值/360
3	實際值/365
4	European 30/360

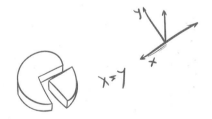

什麼時候來取件

現在到公務機關洽公，許多便民的項目，都可以在當天完成；但是畢竟每項工作都有不同的必需工作天數，如果要較多天數的工作項目，就必須請民眾改天再跑一趟來取件。Excel 提供一個很好用的函數，可以計算出取件日期。

語法：WORKDAY(start_date,days,[holidays])
說明：傳回指定日期之前或之後指定工作日數的日期。

WORKDAY 函數會扣除掉週末、週日以及假日，顯示指定工作日數以後的日期。如果遇到特殊的假日，如雙十節、彈性休假日…等假日，也可以先這些假日列表，然後在函數第 3 個引數中選取特殊假日的儲存格範圍，就可以將這些假日排除在工作日外。

公式 = WORKDAY(開始日期 , 需要工作天數 , 特殊假日儲存格範圍)
　　 = WORKDAY($B$1,B3,$F$3)

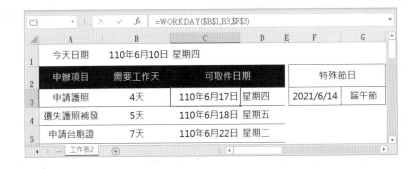

這個函數雖然好用，但是假日還是依照美國的假日為主，而且台灣還有彈性休假前後的補班，如果可以把這些考慮進去就更完美了！

可以拿回多少錢

公務員退休金近來一直被檢討攻擊，看來還是要靠自己努力，平常多存一些錢才是上策。除了各單位與銀行洽談的優惠存款外，超過額度的部分該去投資股票、買儲蓄險、還是乖乖的定存？？

語法：FV(rate,nper,pmt,[pv],[type])
說明：能以基礎的固定利率，計算一項投資在未來的價值。

FV 這個函數是最基本的財務函數，不管要投資什麼？當然要和銀行存款作比較，FV 函數可以計算每月定額存款，一定週期之後，可以得到多少本利和？

假設目前年利率 0.9%（月利率約 0.075%），每月存款 5000 元，2 年（24 個月）後，可領回多少錢？

公式 = FV(週期單位利率 , 週期長度 , 每次存款金額)
　　 = FV(B2,B3,B4)

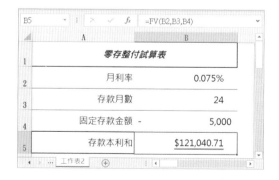

2 年後可領回 121,040 元，銀行通常會搭配 ROUNDDOWN 函數無條件捨去到整數位數，將 0.71 元捨去。

要付多少利息

如果有一個投資機會，無法等到存夠錢，那麼去跟銀行貸款，每個月會要歸還多少金額？會不會增加生活負擔？

語法：PMT(rate,nper,pv,[fv],[type])
說明：算出每月貸款付款。

我們以零存整付的條件回推貸款每月應付金額。假設要跟銀行貸款 12 萬 1 千 4 拾元，期間也是 2 年，年利率也是 0.9% 的狀況下，每月應還金額是多少錢？

公式 = PMT(週期利率 , 週期長度 , 貸款金額)
　　 = PMT(E2,E3,E4)

對於每月應付的零頭通常會搭配 ROUNDUP 函數無條件進位到整數位數，所以每月應還的貸款金額是 5,091 元。

MEMO

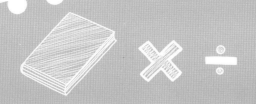

Section_3
分析整理的資料櫃

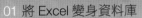

將 Excel 變身資料庫

Excel 功能內建有排序及篩選的功能，本來就很適合當作資料庫來使用，只是有時候儲存格的外表，會讓人誤認為 Excel 是製作表格的軟體，其實使用 Excel 製作表格簡直是大材小用。

Excel 真正強大的功能是當作資料庫，不僅提供排序和篩選等基本功能，還可以提供函數參照範圍，進而利用樞紐分析表分析資料。懂得這些也不過是 Excel 20% 的功力，不過就足以應付絕大多數的工作；至於其他 80% 有關 VBA 是撰寫的部分，就交給專業人員來處理。

要將 Excel 表格當作資料庫來使用時，表格的規劃就十分重要，有幾個基本的原則必須遵守。

✔ 必需要有標題列

正式資料庫表格的最上方，一定要有「標題列」。有時候我們會在表格上方給予表頭名稱，若要將表格當作資料庫時，盡可能不要有表頭名稱，雖然在 Excel 軟體使用上沒有太大的差異，但是若要轉換檔案類型，如「.txt」或「csv」…等通用資料庫檔案格式時，就會出現很大的問題。

員工編號	姓名	身分證字號	性別	出生日期	行動電話
C001	林○希	Q220***340	女	71年10月27日	0999-000-123

標題列

✅ 一欄一個項目、一列一筆記錄

隨著標題列的欄名，每一個欄位只能輸入一種項目；每一列都是一筆完整的資料，可以輸入不完全，但不可以中斷（整列空白），如果中斷會被視為表格結束。

輸入不完全

員工編號	姓名	身分證字號	性別	出生日期	行動電話	聯絡地址
C001	林○希	Q220***340	女	71年10月27日	0999-000-123	高雄市岡山區健鷹南
C002						
C003	何○儒	B120***892	男	70年8月13日	0999-000-125	高雄市前鎮區台鋁二

整列空白

✅ 不要使用合併儲存格

資料庫表格中間若有合併儲存格，會造成錯誤，因此不可以有合併儲存格。

性別	年	月	日	行動電話		
女	71	10	27	0999-000-123	高	
男	63年5月25日			0999-000-124	高	
男	70	8	13	0999-000-125	高雄市前鎮區台鋁二巷	(07) 999-8803

若要這麼做，所有合併儲存格的大小都必須相同。

✅ 每個欄位的資料屬性必須一致，文字欄位、數值欄位、或日期欄位，整欄必須統一

員工編號	姓名	身分證字號	性別	出生日期	行動電話
C001	林○希	Q220***340	女	1982/10/27	0999-000-123
C002	梁○儀	A120***232	男	1974/5/25	0999-000-124
文字	文字	文字	文字	日期	數值

綜合以上 4 點，就是越簡單越好，不要太多複雜的格式，只要將資料內容清楚地分欄呈現就好。了解基本的原則後，就可以開始運用這些資料庫中的內容了。

快速排序

Excel 在「資料\排序與篩選」功能區中，提供快速排序圖示鈕，分別是 $A\downarrow^Z$ 「從 A 到 Z 排序」和 $Z\downarrow^A$ 「從 Z 到 A 排序」，也就是遞增排序和遞減排序的意思，針對單一排序條件進行排序。

假設員工資料考核成績出來，我們要依據「總分」高低進行排名。使用方法很簡單，只要先選取「總分」標題儲存格，切換到「資料」功能索引標籤，在「排序與篩選」功能區中，按下「從 Z 到 A 排序」圖示鈕。資料庫即會按照總分重新排序。

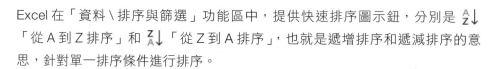

不只是數字欄位，文字欄位也可以進行快速排序，中文會按照筆畫作為排序的依據。日期欄位也可以喔！

	A 員工編號	B 姓名	文字排序	D 性別	E 出生日期
2	A001	林O怡	A226***780	女	76年5月15日
3	A009	林O儀	A226***700	女	77年5月19日
4	A007	陶O寧	A226***667	女	77年12月1日
5	D008	施O尹	A226***087	女	79年1月18日
6	J005	林O希	Q220***340	女	81年10月27日
7	A004	王O晴	A220***708	女	82年7月19日

基本資料

	A 員工編號	B 姓名	日期排序	性別	F 出生日期
2	J004	梁O儀	A120***232	男	73年5月25日
3	D007	陳O成	A126***708	男	74年4月19日
4	A002	林O安	A123***371	男	75年1月24日
5	P002	張O佑	A120***096	男	76年2月10日
6	A001	林O怡	A226***780	女	76年5月15日
7	A009	林O儀	A226***700	女	77年5月19日

基本資料

祕技 03.

多條件排序

對於需要很多條件的排序，就不能使用圖示鈕，必須開啟「排序」對話方塊，進行多個條件設定。

假設考核表中如果遇到「總分」同分的人員，就依據「出勤狀況」來決定排名，如果還是同分，接著依照「主動積極」、「協調合作」、「責任感」…等順序作為同分時決定排名的依據。

首先在「資料 \ 排序與篩選」功能區中，執行「排序」指令。

開啟「排序」對話方塊，❶ 先按下「新增層級」鈕，在第 1 個條件的「排序方式」中，按下拉式清單鈕，❷ 選擇「總分」欄位標題；接著在按下「順序」清單鈕，❸ 選擇「最大到最小」的排序方式。

如此新增完第 1 個條件式，若要再增加其他條件，可按下「新增層級」鈕，依照相同方式設定第 2 個以上的條件式。

所有條件都設定完成後，按下「確定」鈕就會立刻依照條件的先後次序重新排序。如果要更改條件的次序，只要先選取該條件，再利用 ∧ ∨ 上下移動條件的次序。

員工考核資料依照指定條件重新排序，如此一來就可以知道誰是第一名。

	B 姓名	C 品德言行	D 工作績效	E 專業知識	F 發展潛力	G 責任感	H 協調合作	I 出勤狀況	J 主動積極	K 總分
2	鄭○霆	36	42	30	30	36	36	36	36	282
3	陳○成	42	36	36	36	30	36	36	30	282
4	盧○捷	42	36	36	30	36	30	36	34	280
5	郭○凱	30	36	34	36	34	36	36	36	278
6	張○佑	30	40	36	36	36	30	36	30	274
7	林○希	36	34	36	36	36	24	36	34	272
8	謝○霖	30	42	36	34	36	34	36	24	272
9	林○蓁	36	40	36	34	30	30	30	36	272
10	陳○宥	36	42	30	30	36	30	36	30	270

總計　基本資料

輸入排名 序號

之前就介紹過利用「填滿控點」向下複製儲存格，再利用「自動填滿選項」的智慧標籤，選擇「以數列方式填滿」就可以完成流水號的編製，但是遇到不知道有多少筆資料的時候，拖曳複製儲存格也是要花不少時間，還有一個更簡單的方法。

直接在填滿控點上，按滑鼠左鍵 2 下，排名欄位全部都被填滿「1」，此時同樣會出現可愛的智慧標籤，再選擇「以數列方式填滿」。

排名自動依照數列完成填滿。哈哈哈 ~~ 同樣的工作又比別人快幾秒鐘完成。

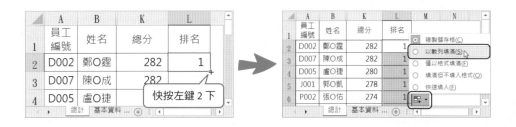

無標題列排序

遇到不是完整的資料，或是只是先對標題本身進行排序…等，這類沒有標題列的排序，其實 Excel 也是可以完成。

但是也有 Excel 分辨不出來的時候，這時候就非得執行「排序」指令開啟對話方塊來幫忙。

在「排序」對話方塊中，取消勾選「我的資料有標題」，設定要排序的條件後，按下「確定」鈕。資料就會依照欄 B 由小到大重新排序。

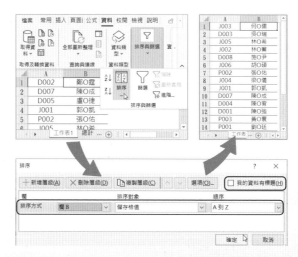

指定範圍排序

有時候我們只想針對資料表中「部分欄位」進行排序，不想影響其他欄位原有順序，這時候就必須選取要改變的欄位儲存格，再進行排序。

舉例來說，考核排名已經完成，但是不小心將前 10 名的獎金誤植為由小到大，所以我們只要單純將獎金部分重新排序即可。

先選取獎金部分的儲存格範圍，按下「從 Z 到 A 排序」圖示鈕。此時會出現非常重要的提示訊息，請在「排序警告」對話方塊中選擇「依照目前的選取範圍排序」，如此才能在不影響其他欄位的狀況下，重新排序獎金順序。

如果只是要在資料表中部分「資料列」重新排序,就要先選取需要重新排序的資料列範圍,再搭配「無標題列排序」的方式處理。

例如:考核排名 10 名之後的員工,就依照員工編號排序,無需特別註記排名。

首先選取排名 11 名之後的儲存格範圍,按下鍵盤【Alt】→【D】→【S】快速鍵,開啟「排序」對話方塊,設定依照「欄 A」遞增排序,按下「確定」鈕。排名 11 名之後的資料則依照員工編號重新排序,最後再刪除排名資料即可。

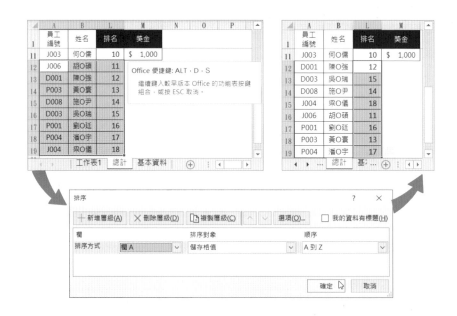

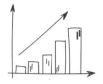

循列排序

一般設計表格的習慣都是將標題置放在首列，偏偏就有人喜歡將標題放置在首欄，讓資料一欄一欄的呈現。對於欄、列對調的資料可以作排序嗎？當然是沒問題，不過比較麻煩一點。

A	B	C	D	E	F	G	H	I
員工編號	D001	D002	D003	D004	D005	D006	D007	D008
姓名	陳○強	鄭○霖	吳○瑞	陳○有	盧○捷	謝○霖	陳○成	施○尹
品德言行	標題欄		42	36	42	30	42	36
工作績效			34	42	36	42	36	30
專業知識	32	30	24	30	36	36	36	32
發展潛力	30	30	26	30	30	34	36	30
責任感	36	36	36	36	36	36	30	36
協調合作	32	36	30	30	36	34	36	36
出勤狀況	36	36	30	36	36	36	36	36
主動積極	30	30	30	30	34	24	30	30
總分	266	282	258	270	280	272	282	260

循列 | 工作表1 | 總計 | 基本資料

遇到這樣的資料首先還是要選取要排序的儲存格範圍，執行「排序」指令。在「排序」對話方塊按下「選項」鈕。

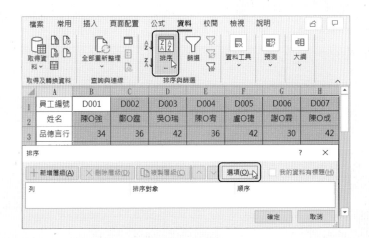

另外開啟「排序選項」對話方塊，方向選擇「循列排序」，按下「確定」鈕。

回到「排序」對話方塊，新增排序條件依照「列 11」（總分）、從「最大到最小」排序，按下「確定」鈕。

資料依照總分重新遞減排序。Excel 真是設想周到。

	A	B	C	D	E	F	G	H
1	員工編號	D002	D007	D005	D006	D004	D001	D008
2	姓名	鄭〇霆	陳〇成	盧〇捷	謝〇霖	陳〇有	陳〇強	施〇尹
3	品德言行	36	42	42	30	36	34	36
4	工作績效	42	36	36	42	42	36	30
5	專業知識	30	36	36	36	30	32	32
10	主動積極	36	30	34	24	30	30	30
11	總分	282	282	280	272	270	266	260

循列　工作表1　總計　基本資料

資料篩選

資料庫管理中，資料篩選也是一個重要的功能，最常見就是從眾多員工（顧客）資料中，找到本月的壽星，方便寄發生日賀卡。

因為資料欄位的形態不一樣，篩選的條件也會有所不同。原則上篩選功能可支援四種資料形態，「文字」、「數字」、「日期」和「空格」。

執行篩選功能十分簡單，只要切換到「資料」功能索引標籤，在「排序與篩選」功能區中，執行「篩選」指令，此時標題列上的每個標題欄位，就會出現 ▼ 的篩選鈕。

員工編號	姓名	身分證字號	性別	出生日期	行動電話	聯絡地址
A001	林O怡	A226***780	女	76年5月15日	0999-000-140	高雄市苓雅區尚勇
A002	林O安	A123***371	男	75年1月24日	0999-000-139	高雄市三民建元

員工編號	姓名	身分證字號	性別	出生日期	行動電話	聯絡地址
A001	林O怡	A226***780	女	76年5月15日	0999-000-140	高雄市苓雅區尚勇
A002	林O安	A123***371	男	75年1月24日	0999-000-139	高雄市三民建元
A003	康O婷	A224***390	女	83年1月19日	0999-000-138	高雄市三民區大裕
A004	王O晴	A220***708	女	82年7月19日	0999-000-137	高雄市楠梓區右昌
A005	顏O建	A126***807	男	84年12月20日	0999-000-136	高雄市楠梓區藍昌

按下 ▼ 篩選鈕，可以進行各項篩選工作。除了篩選功能還有排序功能喔！

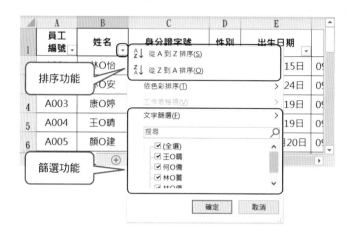

一般篩選

一般篩選就是不論任何資料形態,根據篩選清單所提供的篩選項目,直接勾選要篩選的條件。

舉例來說,從員工資料中找出女性員工的資料。只要按下「性別」標題欄位旁的篩選鈕,先取消勾選「全選」項目後,再勾選「女」項目,按下「確定」鈕。

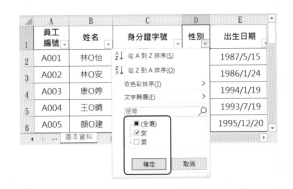

男性資料全部被隱藏起來,只顯示「女」性的資料。從工作表標題數字欄上,看出標題編號不是連續的,而且數字顏色為「藍色」,並且從狀態列上的「項目個數」從 27 變成 13,這都表示有部分工作表的資料列,已經被隱藏起來。

而設有篩選條件的標題欄位,原有的 ▼ 篩選鈕會變成 ▼ 符號。

	A	B	C	D	E
1	員工編號	姓名	身分證字號	性別	出生日期
2	A001	林O怡	A226***780	女	1987/5/
4	A003	康O婷	A224***390	女	1994/1/
5	A004	王O晴	A220***708	女	1993/7/
7	A006	林O辰	A226***061	女	1999/11/
8	A007	陶O寧	A226***667	女	1988/12/

基本資料

從 27 中找出 10 筆記錄

文字資料的篩選

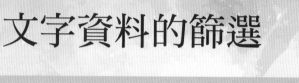

但是篩選清單的可勾選篩選項目，並不是我們想要的篩選條件，就像姓名很少有一樣的，如果依照篩選清單項目選擇一個篩選條件，怎麼篩選都是一筆資料而已，這時候該怎麼處理？

針對這個問題，我們就可以使用「自訂篩選」功能來設定篩選的條件。

舉例來說，當屏東縣發布颱風假時，住在屏東的同事就可以享有放假的權利，那麼住在屏東的同事有哪些人呢？

按下「聯絡地址」篩選鈕，選擇「文字篩選」項目下的「開始於」指令。開啟「自訂自動篩選」對話方塊，在「開始於」右方空白處設定篩選條件為「屏東縣」，按下「確定」鈕。

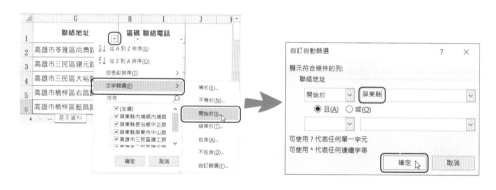

篩選的結果住在屏東縣的同事總共有 3 位。

	A 員工 編號	B 姓名	D 性別	G 聯絡地址	H 區碼
11	D001	陳〇強	男	屏東縣長治鄉中正路	(08)
18	D008	施〇尹	女	屏東縣屏東市中山路	(08)
23	J005	林〇希	女	屏東縣內埔鄉內埔路	(08)

基本資料 ⊕

從 27 中找出 3 筆紀錄

從執行的過程可以看出文字篩選的條件項目可分成 6 種；如果這 6 種選項還不足以滿足，就可以執行「自訂篩選」指令，開啟「自訂自動篩選」對話方塊，而這裡的篩選條件項目又被細分成 12 小項，讓使用者有更多選擇。

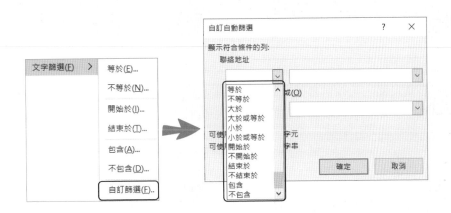

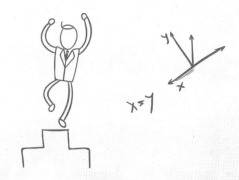

數字資料的篩選

數字篩選的使用方法和文字篩選大同小異，不過數字篩選條件中，有「介於」某兩個數值之間，或是與「平均」值的比較，所以在篩選條件項目中，看起來就與文字篩選不甚相同。

舉例來說，我們要找出生在 68~72 年次之間的同事，此時就選擇「介於」這個篩選條件項目。此時會開啟「自訂自動篩選」對話方塊中，並自動將條件項目設定成 2 個，分別是「大於或等於」且「小於或等於」，只要在空白處分別輸入「68」及「72」，按下「確定」鈕即可篩選出這個區間的員工資料。

但是數字篩選條件項目「平均」和「前 10 項」，卻在「自訂自動篩選」對話方塊的選項中找不到？這 3 個篩選條件項目比較像是 Excel 錄製好的巨集，當使用者選擇這個項目時，Excel 會先算出平均值，並將這個數值填入「大於或等於」的條件式中，這是 Excel 貼心的地方。

舉例來說，我們先使用「低於平均」的篩選條件選項，再執行「自訂篩選」的指令，看看對話方塊中算出來的平均值是多少？

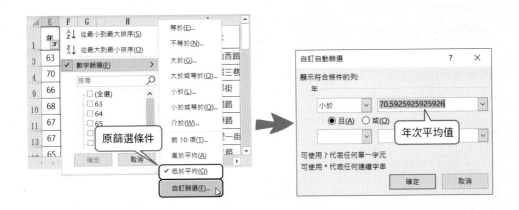

原來員工的平均年次是「70」年次，所以篩選「低於平均」的意思是將小於 70 年次的員工篩選出來。

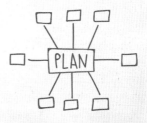

日期資料的篩選

日期資料的篩選是所有資料形態中「最最最」麻煩的，因為真的很麻煩，所以用了 3 個「最」；也正因為日期包含了「年」、「月」、「日」，基本上說 3 倍麻煩，一點也不為過。不過 Excel 也提供許多便利的篩選條件選項，那麼就勉為其難的試用看看吧！

我們最常需要篩選「日期」這種資料形態的時候，大概是要從員工出生日期中找本月壽星。但是許多舊版的 Excel 是無法從「YYYY/MM/DD」這樣的日期形態，找到可用的篩選條件項目。不過較新版的 Excel 解決的這項困擾，提供「週期中的所有日期」條件選項，可以讓我們快速完成篩選工作。

舉例來說，我們要找 10 月份的壽星，在日期篩選項下的「週期中的所有日期」條件選項中，選擇「十月」，Excel 就會幫我們找到 10 月的壽星。

雖然說這樣的篩選條件項目很方便，但為了顧及版本的向下相容性，筆者還是習慣將資料庫中的日期分成年、月、日 3 個欄位，單純當作數字，減少篩選和排序上的麻煩。

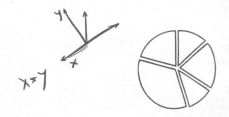

空格篩選

至於空格為什麼還要篩選？不管執行哪一種形態的篩選，篩選清單的可勾選篩選項目中，最後都會出現「空格」的勾選項目。我們可以利用這項篩選，檢視是否有該輸入而未輸入的資料，確保資料庫資料的完整性。

舉例來說，從員工資料中找出還沒填寫行動電話的員工。只要按下「行動電話」標題欄位旁的篩選鈕，先取消勾選「全選」項目後，再勾選「空格」項目，按下「確定」鈕。就可以趕快找這些員工索取行動電話號碼，將資料補齊。

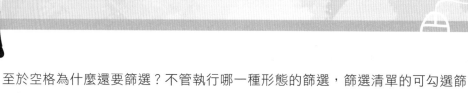

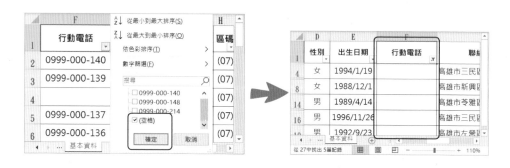

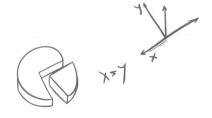

多重條件的篩選

多重條件的篩選設定，原則上和單一條件是一樣的，只是在多個欄位標題中，設定符合各自的篩選條件。

例如：要找尋 C 部門，70 年次以後的男性員工資料。這個總共有 3 個條件，分別是：「員工編號」開頭為 C、出生「年」大於等於 70 以年次及「性別」為男性。篩選條件的設定無需注意順序。

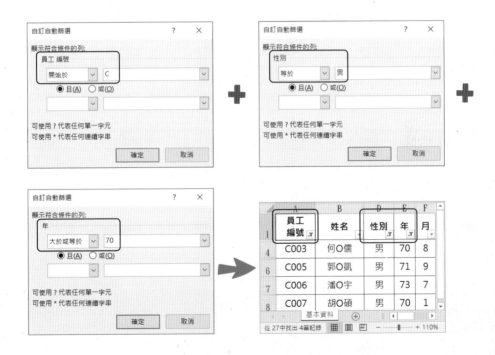

「自訂自動篩選」對話方塊只能針對同一個標題欄位設定 2 個條件，若是不同標題欄位的篩選條件，就要分別設定喔！

恢復資料篩選

知道怎麼設定篩選條件,當然也要知道如何解除設定。

✓ 解除單一篩選條件

單一標題欄位的條件解除,只要按下該標題旁的 ▼ 鈕,選擇執行「清除 " 年 "
的篩選」指令。

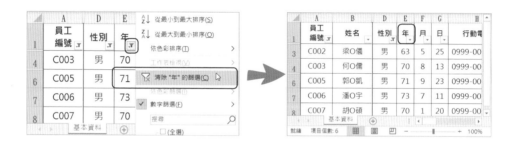

✓ 清除全部篩選條件

對於一次要解除全部的篩選條件,就要切換到「資料」功能索引標籤,在「排
序與篩選」功能區中,執行「清除」指令。

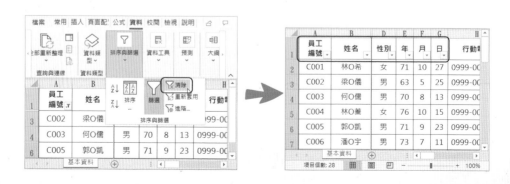

✔ 取消篩選功能

如果要取消篩選功能，不論現在是否有設定篩選條件，只要取消篩選功能，所有的資料都恢復到原來的樣子。

取消篩選功能只要在「資料 \ 排序與篩選」功能區中，再執行一次「篩選」指令即可，所有標題列的篩選鈕也會消失。

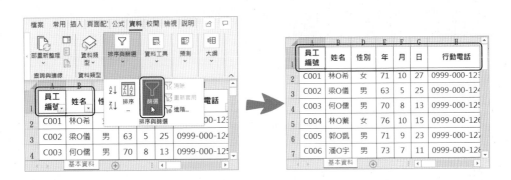

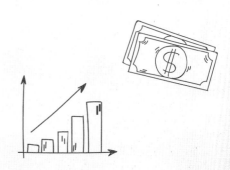

取消格式化為表格的篩選

當我們透過「格式化為表格」功能，將資料庫表格填上美麗的色彩時，標題欄也會自動出現篩選鈕，如果想要取消篩選鈕，除了透過執行「篩選」指令取消外，還可以直接於「表格設計」功能索引標籤的「表格樣式選項」功能區，取消勾選「篩選按鈕」選項即可。

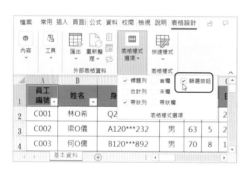

匯入其他資料庫資料

Excel 既然可以當作資料庫，就可以匯入其他資料庫的檔案，不論是 Access、CSV、txt 文字檔…，或是線上服務的清單 / 報表，都可以匯入資料到 Excel 來，支援的種類五花八門，完全可以滿足絕大多數的需求。

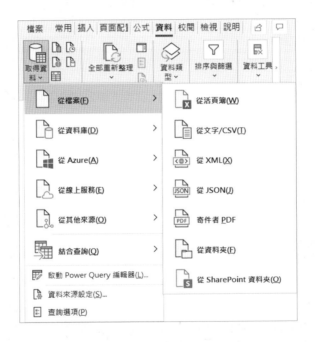

假設分公司的人事資料檔是用其他資料庫軟體建立，可先將其他資料庫轉存成 .txt 文字檔格式，就可以快速匯入資料。切換到「資料」功能索引標籤，在「取得及外部資料」功能區中，執行 「從文字 /CSV」指令。開啟「匯入資料」對話方塊，選擇匯入資料檔案，按下「匯入」鈕。

出現匯入資料預覽對話方塊，欄位格式如果沒有問題，直接按下「載入」鈕。

資料匯入到工作表中，已經自動套用「格式化為表格」功能，並開啟「查詢與連線」工作窗格，因此功能表列上也多了「表格設計」和「查詢」兩個功能索引標籤，使用者可以自行加加減減保留或刪除這些預設的功能。

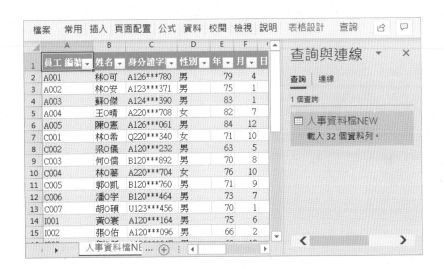

移除重複資料

如果匯入新增資料，是否和舊資料有重複的可能性？難道要一筆一筆的去比對？當然不用這麼麻煩！Excel 提供「移除重複項」的功能，將這種耗眼力的工作交給 Excel 處理。不過 Excel 要比對什麼條件才能證明資料的確重複了？這就考驗著使用者的智慧！

先試試看「移除重複項」這項功能，看看需要設定什麼條件？先切換到「資料」功能索引標籤，在「資料工具」功能區中，執行「移除重複項」指令。

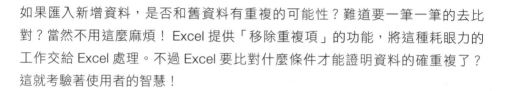

開啟「移除重複項」對話方塊，條件欄位只勾選「員工編號」和「身分證字號」，按下「確定」鈕。原則上「員工編號」和「身分證字號」都應該是獨一無二的，所以用這 2 個作為判斷重複的條件，失誤率應該等於零。

出現提示方塊，顯示已經移除 3 筆重複的資料，以及目前資料的筆數。仔細檢查發現，雖然名字相同，但因為員工編號和身分證字號都不相同，因此 2 筆類似的資料都被保留下來。

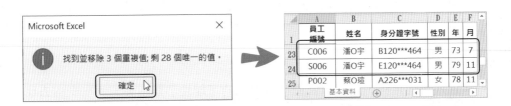

解決誤事的空白字元

資料庫中的資料最怕的是隱形的殺手，誰是「隱形的殺手」？就是空白字元！尤其在輸入資料時，不小心多按了一個空白鍵，在儲存格中完全無法察覺，一直到參照儲存格時，頻頻出現錯誤訊息，檢查公式也查不出所以然來。

但是將姓名欄置中對齊後可以發現，其實該員工名字後方多了幾個空白字元，所以參照不到有這個人。但是資料眾多時，我們要如何知道哪裡有空白字元？所以不管三七二十一，在資料庫資料不該有空白字元的欄位，尋找到空白字元後，取代成空白。什麼空白字元取代成空白？好像繞口令？

也就是利用「取代」功能，在「尋找目標」中按一下空白鍵，輸入一個空白字元；在「取代成」中不要做任何動作，直接按下「全部取代」鈕。

出現完成 4 項取代作業的提示訊息，也就是刪除了 4 個空白字元。如此一來，就可以正確參照到該員工的分數了。

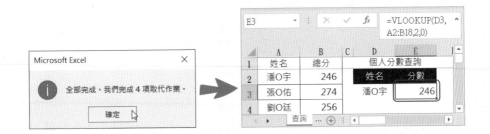

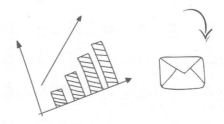

列印二維條碼

不論購物還是去圖書館，我們經常可以從物品上看到二維條碼的出現，只要使用條碼機刷一下，就會出現該物品的品名、價格…等相關資訊，其實也就是利用資料庫的原理，只是我們要怎麼利用 Excel 來列印二維條碼？

首先確認要轉換成二維條碼的原始編號，接著在數字串前、後方，各加上 "*" 字，變成二維條碼編號。

接著在「常用 \ 字型」功能區中，按下「字型」清單鈕，選擇「3 of 9 Barcode」字型，如果系統中沒有這個字型，可上網下載並安裝在系統字型中即可。

瞧！原本的數字碼變成二維條碼！

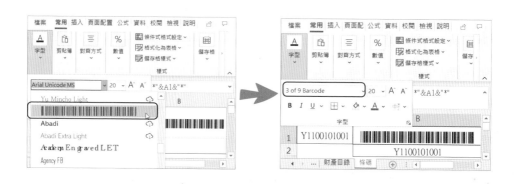

由於光看二維條碼無法立即知道是什麼號碼，筆者習慣在條碼下方顯示原始編碼，避免條碼機故障時，還可以順利執行工作。而且可以一次製作整張的二維條碼，並列印在可黏式標籤紙上備用。

使用二維條碼時，別忘了也要將資料同步更新到資料庫中喔！

	A	B	C
1	財產編號	品名	價值
2	Y1100101001	超自然數位相機	$ 50,000
3	Y1100101002	常當機桌上電腦	$ 40,000
4	Y1100101003	不會冰飲水機	$ 35,000
5	Y1100101004	無敵黑影印機	$ 100,000
6	Y1100101005		
7	Y1100101006		
8	Y1100101007		
9	Y1100101008		
10	Y1100101009		
11	Y1100101010		
12	Y1100101011		
13	Y1100101012		
14	Y1100101013		
15	Y1100101014		

條碼列印　財產目錄 … ⊕

Y1100101001　Y1100101016　Y1100101031
Y1100101002　Y1100101017　Y1100101032
Y1100101003　Y1100101018　Y1100101033
Y1100101004　Y1100101019　Y1100101034
Y1100101005　Y1100101020　Y1100101035
Y1100101006　Y1100101021　Y1100101036
Y1100101007　Y1100101022　Y1100101037
Y1100101008　Y1100101023　Y1100101038
Y1100101009　Y1100101024　Y1100101039
Y1100101010　Y1100101025　Y1100101040
Y1100101011　Y1100101026　Y1100101041
Y1100101012　Y1100101027　Y1100101042
Y1100101013　Y1100101028　Y1100101043
Y1100101014　Y1100101029　Y1100101044
Y1100101015　Y1100101030　Y1100101045

MEMO